Jette Bogø / Helge Stig / Svend Ahnstrøm

Pastabogen

»al dente«

NETTO

Udgivet af Netto og Forlaget D3
© D3
1. udgave, 1. oplag 1995
Opskrifter, ideer, tegninger og layout:
Jette Bogø, Helge Stig, Svend Ahnstrøm /D3
Foto: Lars Kaslov
Repro: 9-21 Prepress
Tryk: Bogtrykkeriet, Skive

Eftertryk tilladt med kildeangivelse

ISBN 87-90059-30-1

Nettobøger udgivet på forlaget D3:

»Kogebogen for én og alle«, 1. udgave, 1994
»Kogebogen for én og alle«, 2. udgave, 1995
JULEBOGEN »Jeg glæder mig i denne tid...«, 1994
Grill- & Picnicbogen »Frokost i det grønne«, 1995
Pastabogen »al dente«, 1995

INDHOLD

Denne bog tager sit udgangspunkt i pasta og er inspireret af det italienske køkken. Den indeholder bl.a. forslag til ti hele menuer og tre pasta-buffeter. Menuerne er ikke bygget op som det »italienske« måltid, hvor pastaen kun indgår som forret (*il primo* – se side 10). Menuerne er i stedet blevet til med to pastaretter som hovedbestanddel suppleret af en anretning som appetitvækker først og en dessert til at slutte måltidet med. Dette er gjort for gennem menuerne at give »hele« oplevelser i menuerne med udgangspunkt i pasta.

Menuerne er inspireret af italienske antipasti (appetitvækkere) og italienske desserter. Derimellem er de to forslag til pastaretter i hver menu italiensk-inspirerede, men ikke *rigtig* italienske. Dette kan bl.a. ses i hver opskrifts portionsstørrelse, der langt fra svarer til en forret, men der er tænkt italiensk i valget af råvarer.

På nær opskrifterne til bogens buffeter er alle opskrifter beregnet til én person. Det gælder også opskrifterne på pastasalater som alternativ til den smurte madpakke og pastaretterne for børn.

Om man vil, kan det siges, at der er tale om portioner, der kan rettes til efter eget ønske og ganges op efter behov. Det vil sige også op til helt store middage. Hver enkelt menu er et solidt måltid, så der kan vælges inden for og på tværs af menuerne.

Pasta er et godt, sundt og inspirerende udgangspunkt for retter i alle prisklasser. Pasta kan serveres med trøfler. Pasta kan serveres med kaviar. Pasta kan serveres med champignon. Pasta kan serveres med stenbiderrogn. Pasta kan spises som natmad på silkelagner. Pasta kan spises som pastasalat i en medbragt box i frokostpausen. Men det vigtigste er altid, at pastaen er kogt »al dente« (bidefast – se side 12).

Der er i hver opskrift lagt vægt på den ENKLE anretning. Det er råvarerne, tilberedningen og anretningen, der har betydning, og at opskrifterne i sig selv er nemme at gå til. Pasta er mere end pasta. Pasta er oplevelser.

Denne bog handler om pasta – uden at være et kulinarisk idéopslagsværk om pasta. Her er mange slags pastaretter til mange slags sult. Der er forslag fra en hurtig gang kogt pasta (al dente) med en grundsauce (se side 79-81) til inspiration eller opskrifter til langt mere spændende retter igen afhængige af valgte råvarer.

Buon appetito!

BARILLA • ITALIENS PASTA NR. 1

Barilla er ikke bare Italiens, men verdens største producent af pasta. 4 ud af 10 portioner pasta, der bliver serveret i Italien tilberedes af Barilla pasta.

Barilla er derfor italienernes foretrukne pasta.

Selvom der er tale om industriel fremstilling efter de mest moderne principper, værner Barilla til stadighed om kvaliteten.

Den væsentligste råvare er hård Durum-hvede semolina af bedste kvalitet. »Hvede er så gammelt som guld, ligeså smukt, lyst og varmt. Det er symbolet på rigdom«, ynder man at sige på fabrikken.

Og hvilken rigdom i smag og kvalitet. Mere end 150 forskellige varianter produceres for at kunne tilfredsstille enhver smag. Hver enkelt i perfekt kvalitet uanset om der er tale om spaghetti, figurer eller æg-pasta. Barillas formål med de mange pastavarianter og den høje kvalitet er at give forbrugeren de bedst mulige basisingredienser til den daglige madlavning.

Det sikrer det bedste resultat hver gang.

Barilla har gjort sin del af arbejdet – nu er det op til dig!
God fornøjelse.

Basilikum er blandt favoritterne i Italien med sin kraftige og karakteristiske smag. Særligt god sammen med tomat. Frisk basilikum er bedst og fås det meste af året. Man kan også lave en basilikumolie ved at lægge friske blade i olivenolie, eller blande hakket basilikum med smør og fryse det ned til senere brug.

Hvidløg anvendes i mange retter – enten som smagsgiver eller blot til at fremhæve det samlede smagsindtryk. Anvendt sammen med almindeligt løg giver det karakter uden at smage igennem. Jo mere findelt, jo kraftigere smag. Man kan svitse et helt fed lidt i olien og fjerne det igen, før der tilsættes andre ingredienser, hvis man kun ønsker en svag hvidløgssmag.

Løg anvendes i næsten alle saucer og kogte retter. Løg steges, til de er let karamelliserede og må aldrig brænde på.

Chilipebre fås friske i mange størrelser og farver, og smagen går fra sødlig til meget stærk. De friske renses og befries for kerner som ved almindelige peberfrugter. Anvendes tørrede chilipebre, knuses de mellem fingrene, før de tilsættes retten.

Timian anvendes både frisk og tørret og klæder de fleste retter.

Oregano anvendes hovedsagligt tørret på samme måde som timian og i særdeleshed til pizzaer.

Rosmarin er velegnet i stegeretter både frisk og tørret. Har en kraftig smag og bruges med måde.

Persille er et basiskrydderi sammen med løg og hvidløg.

Salvie har en kraftig smag og bør bruges med måde. Er velegnet sammen med indmad.

Laurbærblade er gode i supper og sammenkogte retter.

Muskatnød anvendes revet i hvide saucer og sammen med spinat og ricottaost.

Hertil kommer andre krydderier som fennikel, merian, estragon, dild og safran. Safran giver en særegen smag samt farve til risretter. Man kan evt. bruge gurkemeje som erstatning for safran, der er et meget kostbart krydderi.

Hvidløgs-
presse

Savtakket
saks til
fjerkræ

Skarp grøntsagskniv

Universalknive til f.eks. at skære kød med

litansk
maskine

Gaffel-ske
til at røre i
pastaen under
kogningen

Tomatkniv

Kniv til at fjerne kernehuse

Stålgryde
med låg

Isske

Gulerods- og
kartoffelskræller

Grøntsagsmølle til at
purere grøntsager med

Parmesankniv
til at »brække«
parmesanost af
med

Rivejern til
parmesanen

Disse køkkenredskaber er gode
indgangsvinkler til fremstilling af
italiensk inspireret mad. En italiener vil
nok vælge en kniv til at hakke og pille
hvidløgsfeddene med fremfor at bruge
hvidløgspressen, og i spørgsmålet om
at udrulle pastadejen foretrækker italie-
neren en stoklignende kagerulle og en
stor, ren træbordplade fremfor en almin-
delig køkkenrulle eller en pastamaskine.

Vuggekniv til at
hakke fint med

Kagerulle til at udrulle pastaen med

Morter til
krydderier

Brødtang

Hjul til
at udskære
pastaformer,
f.eks. ravioli

Speciel
kagerulle
til at udskære
ravioli med

Ravioli-rist

Madpensel

Dørslag til brug når det kogende
vand skal løbe fra pastaen

Pastamaskine

Grydeske

DET »ITALIENSKE« MÅLTID

Traditionelt er frokosten dagens vigtigste måltid i Italien. Alt går i stå to-tre timer midt på dagen. Forretningerne lukker, kirkerne bliver låst, og gaderne tømmes, men på restauranterne og på cafeerne er der liv. På det tidspunkt, hvor solen står højest på himlen, sætter italienerne sig til bordet. Selv om det er ved at ændre sig i de store byer, tager de fleste italienere stadig hjem og spiser måltidet midt på dagen sammen med familien.

Måltidet kan starte med en antipasto, en appetitvækker. Måske et par skiver prosciutto (lufttørret skinke) eller lidt brød og oliven. Saltet kød og pølser indgår ofte som antipasto – enten alene, med frisk frugt eller med en god dressing. Fisk og skaldyr er også populære, især i Italiens kystområder, men det kan også være ost og æg blandet i salater eller med dip, på brød eller indbagt, der serveres. Serveres grøntsager som antipasti, er de rå i salater eller kogt og marineret med olivenolie og friske krydderurter.

Måltidet består af flere små retter med masser af godt brød til, mineralvand og italiensk vin. Derefter serveres der frisk frugt og ost, og måltidet slutter af på ægte italiensk vis med god, stærk kaffe.

Mellem antipastoen og den stærke kop kaffe har måltidet et traditionelt forløb.

Efter antipastoen serveres en forret (*il primo*). Det kan være en pastaret, en suppe eller måske en risotto. Derefter følger en lille portion kød eller fisk (*il secondo*) med tilbehør som letkogte grøntsager eller salat (*le verdure*) og stadig med masser af godt brød til. Så er man fremme ved osten (*i formaggi*), frugten og desserten (*la frutta & i dolci*) og kaffen som ofte er en espresso (se side 41). Til kaffen serveres måske et glas likør, en brandy, en amaro (bitter) eller en grappa (se side 45).

Sammensætningen af måltidet planlægges, så der er en harmoni mellem retterne. Smag, konsistens, fylde og mængde afbalanceres, og måltidet bærer sit tydelige præg af det enorme udvalg, der er af lokale retter.

Ved syv-tiden om aftenen kommer der igen liv i restauranterne. Det er turisterne, der søger et sted at indtage deres aftensmåltid. Italienerne selv har ikke travlt. Bag husenes skodder er der lys. Man forbereder sig til at gå ud. Først ved ni-tiden dukker de op på restauranterne. Italienerne går ud om aftenen for at møde deres venner og få en espresso eller måske en aperitif. Bagefter går de hjem ved ti-elleve-tiden og får et let måltid, inden de går i seng. Næste dag står de op, og for mange italienere, der bor i byen, starter dagen med en espresso ledsaget af et *panino* (et rundstykke med fyld), der måske indtages på en café, og timer senere, når solen står højest på himlen, mødes man igen med familie og venner ved bordets glæder.

ET KIG IND I DET ITALIENSKE SPISEKAMMER

TILBEHØR VED SERVERING:

Olivenolie

Oliven

Olivenpasta eller olivencreme på glas

Balsamicoeddike

Soltørrede tomater

Soltørret tomatpuré
(fremstillet af soltørrede tomater blendet med olivenolie, hvidløg og basilikum)

Kapers i vineddike

Rød og gul peberfrugt i vineddike

Porcini (tørrede rørhatte)

OST:

Parmesan (helt fast stykke)
(se side 20 og side 49)

Mozzarella
(se side 49)

Pecorino
(en hård ost med en temmelig kraftig smag)

Provolone
(fås i forskellige former – hænges op i snore til modning)

Fontina
(en halvhård ost med brun skorpe og cremet konsistens)

Gorgonzola
(se side 49)

Dolcelatte
(en fabriksfremstillet udgave af gorgonzola)

Mascarpone
(se side 49)

PØLSER:

Salame
(se side 24)

Prosciutto
(lufttørret, rå skinke – Parmaskinken er den berømteste af disse saltede kødtyper. Andre landsdele har deres egne udgaver)

Bresaola
(sælges i tynde skiver – råt, saltet og lufttørret oksekød som prosciutto)

Coppa di Parma
(saltet og lufttørret råt svinekød)

Mortadella
(se side 20)

PASTA

Som sådan behøver pastaretter ikke specielle køkkenredskaber (men se alligevel side 9). Pastaretter kræver pasta, råvarer og opskrifter eller god, fri fantasi og øvelse i at kunne koge pasta »al dente«.

Pasta kan købes enten fabriksfremstillet eller »frisk« fabriksfremstillet (skal opbevares i køleskab) eller også kan man vælge at fremstille pastaen selv (se side 82). Italienerne benytter sig af alle tre muligheder.

Pasta er sundt, fordi pasta indeholder mange kulhydrater, og pastaretter er sunde, fordi der ofte indgår mange grøntsager i dem. Da mange pastaretter er spændende krydret, smager de af noget og giver derfor hurtigere en mæthedsfornemmelse. Pasta bliver først fedende, når saucerne bliver for kalorie-rige.

Pasta fremstilles af »semolina-mel«(forarbejdet durum-hvede), vand og ofte æg. Pasta findes i et utal af varianter og er nogle gange tilsat smag (se side 21). Durum-hvede gror bl.a. i Italien. Det er en hård hvede med meget gluten.

Pastaen menes at stamme fra Mesopotamien (ca. 3.000-4.000 år f. Kr.). Det er en populær påstand, at det var Marco Polo (1254-1324), der introducerede pastaen i Italien. Han skal have

Pasta bør koges i rigeligt vand. Tommelfingerreglen er 1 liter pr. 100 g pasta plus 1 liter til gryden. Kom altid pastaen i KOGENDE vand og tilsæt først salt, når pastaen kommes i. Rør i pastaen, mens den koger, og kog den, til den er »al dente« (bidefast). Hæld grydens indhold i et dørslag, så det kogende vand løber fra, og lad pastaen dryppe af i dørslaget. Rør kun lidt olie i pastaen, hvis den ikke skal bruges med det samme.

taget den med fra Kina, men holder man sig til fakta, kender man til pasta fra Sicilien i Middelalderen, hvor øen var under arabisk herredømme.

Catherine dé Medici introducerede pasta i Frankrig og dermed det øvrige Europa, da hun flyttede til Frankrig for at blive gift med den fremtidige Henri II (1533) og tog 50 italienske kokke med sig til hoffet. De introducerede råvarer og tilberedningsmetoder, der dengang var ukendte i Frankrig. Blandt andet lærte de franskmændene at lave bechamelsauce og bruge artiskokker i madlavningen.

Indtil begyndelsen af det 20. årh. har makaroni og vermicelli (tynd tråd-spaghetti) været de pastatyper, der har været mest kendte i Europa uden for Italien.

Lasagnette
Tagliatelle
Fusilli
Vermicelli
Spaghetti
Rigatoni
Tortellini
Lasagne
Fusilli
Gnocchi
Pappardelle
Cannelloni
Conchiglie
Fettuccine
Ravioli
Farfalle
Maccheroni

Spaghetti er den mest kendte pastatype.

Vermicelli er pasta i tynde tråde. Velegnet til lette saucer og klare supper.

Maccheroni (Makaroni) er rørformet pasta i forskellige længder og tykkelser. De lange anvendes som spaghetti. De korte, hvoraf nogle er buede »albue«-maccheroni, kan også bruges i supper og salater.

Fettuccine er båndpasta evt. med smagstilsætning af tomat, spinat o.lign., der også farver pastaen. Passer godt med grøntsags- og skaldyrssaucer.

Tagliatelle er smallere end fettuccine, men fås ligeledes i forskellige smagsvarianter. Tørret er de som regel formet som reder.

Pappardelle er en meget bred båndpasta.

Penne er korte pastarør med skrå ender.

Rigatoni er korte rillede pastarør.

Farfalle ligner sommerfugle og fås med forskellige smagstilsætninger. Er velegnede både i varme og kolde retter.

Fusilli er pastaskruer, som er specielt velegnede til salater. Fås med mange smagstilsætninger.

Tortellini er pasta rullet sammen til en ring med forskelligt typer fyld indeni.

Ravioli er firkantede pastapuder med forskelligt fyld. Egner sig bedst til enkle og ikke for tykke saucer.

Lasagne er pastaplader, som lægges lagvis med kød-, fiske- eller grøntsagssaucer og bechamelsauce og bages i ovnen.

Lasagnette er smalle pastaplader med krøllede kanter. Anvendes som båndpasta.

Cannelloni er store pastarør, der fyldes med kød-, fiske- eller grøntsagblandinger. De overhældes f.eks. med tomatsauce og gratineres i ovnen.

Gnocchi har form som små skaller og bruges ofte sammen med skaldyrssaucer.

Conchiglie ligner konkylier. Er lige anvendelige i kolde som varme retter – og gerne sammen med skaldyr.

Derudover findes der mange andre pastatyper.

PARMASKINKE MED MOZZARELLA

(1 portion)
1-2 skiver tyndtskåret Parmaskinke eller anden røget skinke,
1 tyk skive mozzarellaost (fast flødeost kan evt. anvendes), lidt
tørret timian, rosmarin og peber.

1. Del hver skinkeskive i to halvdele.
2. Skær osten ud i stænger.
3. Drys ostestængerne med krydderurter.
4. Rul hver ostestang ind i et stykke skinke.
5. Servér skinkerullerne evt. sammen med små stænger af friske grøntsager og sorte eller grønne oliven.

PESTO PASTA
Tagliatelle al Pesto

(1 portion)
60 g tagliatelle, 2 spsk friske basilikumblade, 1/2 fed hvidløg,
2 spsk pinjekerner, olivenolie, parmesanost og friskkværnet peber.

Se evt. opskrift på pesto på side 79 . Pesto kan laves i forvejen,
og den kan holde sig i længere tid.

1. Kom basilikumblade, pinjekerner og hvidløg i en blender. Kom olivenolie i lidt efter lidt, mens der blendes.
2. Kog vand i en gryde. Tilsæt pastaen og lidt salt. Kog pastaen til den er al dente.
3. Hæld pastaen i et dørslag, så vandet løber fra.
4. Kom pastaen tilbage i gryden
5. Tilsæt pestoen og varm retten hurtigt op.
6. Anret pastaen på en tallerken og drys med friskreven parmesanost og friskkværnet peber.

MENU 1

- *Parmaskinke med mozzarella*
- *Pesto pasta*
- *Ravioli*
- *Hjemmelavet ravioli med spinat*
- *Zabaglione*

RAVIOLI

(1 portion)
100 g ravioli færdig eller hjemmelavet (se opskrift i næste spal-
te), 1 portion tomatsauce (se side 79), 1 spsk fløde, 1/2 spsk
friskreven parmesanost og nogle friske basilikumblade.

1. Tilbered tomatsaucen og rør fløden i.
2. Kog vand i en gryde. Tilsæt raviolien og lidt salt. Kog pastaen i 4-5 min., til den er al dente (se side 12).
3. Kom raviolien i et dørslag, så vandet løber fra.
4. Anret raviolien på en tallerken, hæld tomat-saucen ved og pynt med friske basilikum-blade.

HJEMMELAVET RAVIOLI MED SPINAT

(1 portion)
100 g pastadej (se side 82), 75 g hakket spinat, 1/2 sammenpi-
sket æg, 30 g flødeost, reven muskatnød og salt.

1. Rør spinat, æg og flødeost sammen med lidt reven muskatnød og salt.
2. Rul pastadejen ud i to tynde, lige store pla-der.
3. Læg teskefulde af spinatfyld ud i lige rækker lodret og vandret på den ene pastaplade.

4. Læg den anden pastaplade over og tryk dejen godt sammen over spinatfyldet.

5. Skær raviolierne ud med en klejnespore.

Italienernes modstykke til franskmændenes appellation controllée er Denominazione di Origine Controllata, forkortet DOC. Er det angivet, vil man altid kunne læse sig til, hvilket begrænset geografisk område vinen kommer fra. For ca. 15 år siden indførte italienerne en overbygning på deres DOC-system. Et G blev tilføjet, så det blev til DOCG. G står for Garanzia. Det er en garanti for både OPRINDELSE og KVALITET. Det er en anerkendelse, der gives til de italienske vindistrikter, som enten har været kendt i lang tid eller har gjort en særlig indsats for at blive kendt.
Italienernes modstykke til franskmændenes Vin de Table er Vino da tavola. Her er der altså tale om ordinære vine, men også nogle af Italiens allerfineste vine til det daglige bord.

ZABAGLIONE

(1 portion)
1 æggeblomme, 25 g sukker, 4 cl marsala, et par makroner og et par jordbær eller hindbær.

1. Pisk æg og sukker godt sammen over varmt vandbad (vand med en temperatur lidt højere end håndvarmt), til sukkeret er opløst.
2. Tilsæt vinen og pisk et par min. mere.
3. Sæt vandbadet på svag varme og pisk i æggemassen, til den bliver fast skummende. (Hvis vandet koger, kan æggemassen blive til en slags røræg).
4. Kom lidt knust makron i et portionsglas, fyld op med zabaglionecremen og pynt med et par bær i toppen.

ARTISKOKKER I OLIE
Carciofini sott'aceto

(1 portion)
1 artiskok, 3 spsk (hvidvins)eddike, 2 spsk hvidvin, 1 spsk olivenolie, 1 spsk citronsaft, 2 hele nelliker, 1 fed knust hvidløg, frisk rosmarin fra kvist, meget få tynde skiver chili, salt.

1. Vask og klargør artiskokken (se side 37). Skær den i kvarte stykker.
2. Kog artiskokstykkerne i letsaltet vand (ca. 20 min.).
3. Imens: Kom vineddike, vin, nelliker, tynde chiliskiver, rosmarin og salt i en gryde. (Sørg for, at gryden kan rumme artiskok-kerne, hvis portionen ganges op).
4. Bring lagen i kog. Læg hvidløgsfeddet i nog-le få minutter. Tag det og de hele nelliker op og smid begge dele væk.
5. Kom artiskokstykkerne i lagen. Tilsæt evt. lidt mere vin og olie. Lad dem småsimre i lagen nogle få minutter.
6. Anret artiskokstykkerne på en tallerken og servér anretningen varm.

TAGLIATELLE MED LAKS

(1 portion)
80 g tagliatelle (båndspaghetti i reder), 50 g røget laks, 2 spsk stenbiderrogn (rosafarvet), 4 spsk piskefløde, friske dildkviste, salt og friskkværnet peber.

1. Kom pastaen og lidt salt i kogende vand. Kog pastaen, til den er al dente (se side 12). Kom pastaen i et dørslag, så vandet løber fra.
2. Snit laksekødet fint.
3. Varm fløden forsigtigt op. Kom laksestyk-kerne i. Krydr med salt og friskkværnet peber.
4. Hæld den varme sauce over den afdryppede pasta. Retten serveres straks, pyntet med fri-ske dildkviste og rosafarvet stenbiderrogn.

MENU 2

- *Artiskokker i olie*
- *Tagliatelle med laks*
- *Fettuccine med fløde og skinke*
- *Citronsorbet*

FETTUCCINE MED FLØDE OG SKINKE

(1 portion)
100 g fettuccine, tynde skiver kogt skinke, 1 æggeblomme, 4 spsk piskefløde, 1 knsp paprika, 1 knsp estragon, reven parmesanost, salt og friskkværnet peber.

1. Kom pastaen med lidt salt i kogende vand. Kog den til den er al dente (se side 12). Kom pastaen i et dørslag, så vandet løber fra.
2. Varm æggeblommen og fløden op under konstant piskning. Krydr med paprika, estragon, salt og friskkværnet peber. Saucen må ikke koge.
3. Skær skinkekødet i strimler. Kom det i saucen.

4. Hæld den varme sauce over den afdryppede pasta. Drys med reven parmesan. Retten krydres med friskkværnet peber og serveres straks.

Mortadella er den største og nok også den mest berømte italienske pølse. Den bedste mortadella er fremstillet af rent svinekød. Andre typer kan indeholde oksekød eller afpuds. Krydderier og smagstilsætninger kan veksle. Mortadella kan indeholde hele sorte peberkorn, korianderfrø, udstenede oliven eller pistacinødder. Mortadella serveres som regel skåret i meget tynde skiver, men den kan også skæres i tern og blandes i salater og sammenkogte retter.

Parmesan er Italiens berømteste faste ost. Den bruges hovedsageligt i reven tilstand over pasta-retter, risotto, i saucer og andre varme retter. Den er også udmærket i salater og serveret hel. Det ideelle er et stykke god, hel parmesanost, der kan rives efter behov. Den bedste kaldes parmidiano. Parmesan kan også fås reven i pakker eller dåser. Billigere erstatninger fås fra Tyrkiet og Grækenland.

FARVNING AF HJEMMELAVET PASTA

1 portion
Se side 82.

GRØN PASTA
90 g semolina-mel, 45 g hakket spinat, 1 lille æg, 1 knsp salt.

SØGRØN PASTA
90 g semolina-mel, 1 spsk friskhakket mynte, 1 lille æg, 1 knsp salt.

GRÅGRØN PASTA
90 g semolina-mel, 25 g friskhakkede brændenælder (1 1/2-2 dl), 1 lille æg, 1 knsp salt.

GUL PASTA
90 g semolina-mel, 90 g kogt pureret græskarkød, 1 lille æg, 1 knsp salt og evt. lidt mere mel.

ORANGE PASTA
90 g semolina-mel, 50 g pureret gulerod, 1 lille æg, 1 knsp salt og evt. lidt mere mel.

RØD PASTA
90 g semolina-mel, 1 tsk tomatpuré, 1 lille æg, 1 knsp salt og evt. lidt mere tomatpuré, hvis den røde farve skal være stærkere.

RØDVIOLET PASTA
90 g semolina-mel, kogt pureret rødbede (ca. 1/4 stor rødbede), 1 lille æg, 1 knsp salt.

LYSEGUL PASTA
90 g semolina-mel, 1/2 tsk gurkemeje (evt. mere), 1 lille æg, 1 knsp salt.

HVID PASTA
90 g semolina-mel, 90 g reven parmesanost, 1 lille æg, 1 knsp salt.

ROSENFARVET PASTA
90 g semolina-mel, 25 g mosede jordbær, 1 lille æg, lidt mælk, 1 knsp salt.

CITRONSORBET
Sorbetto al limone

(1 portion)
1 1/2 dl citronsaft, 50 g sukker, 1/2 dl vand, 1 æggehvide, mynteblade.

1. Kog vand og sukker få minutter.
2. Rør citronsaften i.
3. Sæt væsken i fryseren, til den er hård.
4. Tag den frosne citronsaft ud af fryseren. Lad den tø, til der lige akkurat kan røres i den.
5. Pisk æggehviden stiv. Vend den i citronsaftmassen. Kom massen i et portionsglas.
6. Stil portionsglasset i fryseren (mindst 30 min.).
7. Tag citronsorbeten ud af fryseren, lige inden den skal serveres. Pynt med mynteblade.

ANRETNING MED MORTADELLA OG SALAMI
Antipasto Misto

(1 portion)
Mortadella i tynde skiver, salami i tynde skiver, 2 syltede agur-
ker, 3 rensede radiser, 3 cherrytomater, 4 sorte eller grønne oli-
ven, 2-3 salatblade.

Dressing: 2 spsk olivenolie, 2 spsk citronsaft, 1 spsk
(rødvins)eddike, 1/2 tsk dijonsennep, salt og friskkværnet sort
peber.

1. Rør dressingen godt sammen.
2. Skyl salatbladene. Lad dem dryppe af.
3. Arrangér pølseskiverne på salatbladene.
4. Skær de syltede agurker i skiver og arrangér dem sammen med oliven, cherrytomater og radiser ved siden af pølseskiverne.
5. Servér anretningen med dressing til.

KRYDRET FARFALLONI MED VALNØDDER

(1 portion)
80 g farfalle (pastasommerfugle), 50 g kogt skinkekød i tern,
10 g grofthakkede valnødder, 2 tsk smør, friskkværnet peber.

1. Kom pastaen med lidt salt i kogende vand, og kog den til den er al dente (se side 12). Kom pastaen i et dørslag, så vandet løber fra, men gem 1 spsk af kogevandet.
2. Smelt smørret. Tilsæt 1 spsk af kogevandet. Tilsæt de grofthakkede valnøddekerner og skinketerningerne. Rør i saucen. Krydr med friskkværnet peber.
3. Vend forsigtigt den afdryppede pasta i saucen og servér straks.

MENU 3

- *Anretning med mortadella og salami*
- *Krydret farfalloni med valnødder*
- *Pastagratin med champignon*
- *Jordbær med citronsaft*

1. Sæt ovnen på 225°C.
2. Kom pastaen med lidt salt i kogende vand. Kog den, til den er al dente (se side 12). Kom den i et dørslag, så vandet løber fra.
3. Skær champignonerne i skiver.
4. Varm olien. Tilsæt hvidløg. Tilsæt broccoli-buketterne. Steg dem over svag varme. Tilsæt champignonskiverne og steg dem sammen med resten, til de er lysebrune.
5. Del ægget i hvide og æggeblomme.
6. Pisk mælken sammen med paprika, muskat, æggeblommen, parmesan og lidt salt.
7. Pisk hviden stiv og vend den i mælkeblandingen.
8. Smør et (lille) ovnfast fad. Læg den afdryppede pasta og broccoli/champignonblandingen lagvis. Fordel saucen over gratinen. Drys med parmesan. Drys med mandelflager og pinjekerner. Dryp med smeltet smør.
9. Sæt fadet i ovnen i 20 min.

PASTAGRATIN MED CHAMPIGNON

(1 portion)
100 g tortiglioni (»albue«-makaroni), 1/2 dl små broccolibuketter, 6 rengjorte champignoner, 1 fed knust hvidløg, 1 æg, 1 spsk olie, 2 1/2 dl mælk, 1 spsk mandelflager, 1 spsk pinjekerner, 1 spsk smeltet smør, lidt mere smør, 1 knsp paprika, reven muskatnød, 1 spsk parmesan, lidt mere parmesan, salt og friskkværnet peber.

Porcini (tørrede rørhatte) som f.eks. karljohansvampe indgår i mange italienske svamperetter, hvor der ønskes en kraftig smag af vilde svampe. De kan købes tørrede og opblødes inden brug. De tørrede svampe lægges i en skål og overhældes med kogende vand, som de trækker i (20-30 min.). Derefter skal svampene dryppe af, og opblødningsvandet kan bruges i madlavningen.

Salami findes i utallige italienske udgaver. Hver egn har sine egne specialiteter. Italiensk salami fremstilles af rå ingredienser, der lægges i saltlage og/eller ryges. Følgende er eksempler nævnt ved navn på italienske salamier: Milano, Varzi, Felino og Finicchiona.

MINI-VINORDS-LEKSIKON

ABBOCCATO: *sød*

AMARONE: *kraftig tør vin fremstillet på halvtørre druer*

ANNATA: *høstår*

CANTINA: *vinkælder*

CANTINA SOCIALE: *kooperativ*

CASA VINICOLA: *vinkøbmand*

DOLCE: *meget sød*

CLASSICO: *vin fra det oprindelige dyrknings-område*

IMBOTTIGLIATO ORIGINE: *originalaftapning*

LIQUOROSO: *meget sød*

NERO: *meget mørk*

RECIOTO: *sød vin fremstillet af delvis tørrede druer*

RISERVA: *bedre vin med en vis lagring*

SPUMANTE: *mousserende*

SUPERIORE: *lidt mere lagret og lidt højere alkohol-procent end samme distrikts vine uden superiore*

VECCHIO: *gammel*

VENDEMMIA: *vinhøst/årgang*

Chianti er rødvin fra druer der vokser mellem Firenze og Siena. Chianti-bastflasken er ideel til varme lande. Når basten gøres våd, skal der kun en let brise til at holde flaskens indhold køligt. I rigtig varme holder vinen sig også kølig, idet varmen ikke når vinen, da den går sammen med vandet i basten – og fordamper.

I 1984 blev Chianti hævet op i DOGC-klassen. Det er det bedste, der kan overgå en italiensk vin.

JORDBÆR MED CITRONSAFT

Fragole al limone

(1 portion)
125 g jordbær, saften af 1/2 citron, 50 g sukker.

1. Rens jordbærrene. Skyl dem. Nip stilken af dem.
2. Læg dem i en skål. Hæld citronsaften over. Drys derefter med sukker.
3. Vend forsigtigt blandingen og servér desserten straks.

Det er naturligt for italienerne at spise jordbær med frisk citronsaft og sukker. Prøv det!

JORDBÆRSALAT MED AVOCADO

(1 portion)
6 jordbær, 1 avocado, 2-3 blade salat, balsamico-eddike, friskkværnet peber.

1. Skyl salatbladene. Lad dem dryppe af i et dørslag eller slyng dem i en salatslynge.
2. Skær avocadoen over. Fjern stenen. Fjern forsigtigt avocadoens skind. Skær avocadokødet i skiver.
3. Skyl jordbærrene. Nip dem for de grønne blade. Skær jordbærrene i halve.
4. Arrangér avocadoskiverne og de halve jordbær på salatbladene. Hæld balsamico-eddike over anretningen. Drys med friskkværnet peber.

PASTASALAT MED HUMMERHALER

(1 portion)
80 g gnocchi (pastaskaller), 1/2 dl hummerhaler, 2 spk tør hvidvin, 1/2 gulerod, 1 stilk bladselleri, 1/2 dl piskefløde, 2 tsk smør, 1 laurbærblad, 1 knsp paprika, salt.

1. Skræl guleroden. Skær den i tynde skiver. Rens bladselleristilken og skær den i strimler.
2. Kom hummerhalerne i en gryde med lidt vand, hvidvinen, gulerodsskiverne, laurbærbladet og et drys salt. Kog blandingen i

Eddike er en sur væske bestående af fortyndet opløsning af eddikesyre udvundet af gæring af vin.
Eddike skal ligesom vin bruges med omtanke. I mange tilfælde kan eddike erstattes af citronsaft.
Aceto balsamico er ikke så sur som almindelig eddike. Den har en lidt sødlig smag. Den er ikke fremstillet af vin, men derimod direkte af drue-most. Mosten af den hvide trebbiano-drue hældes i et fad med gammel eddike og efter nogen tid kommes den videre til lagring på mindre og mindre fade. Der er tale om træfade i sorter som eg, ask, kastanje, valnød, birk og bøg. Derved får eddiken sin brune farve og sin aromatiske smag. Lagringen siges det at kunne tage op til 100 år. Men processen kan fremskyndes ved at koge mosten til sirup før den tilsættes gammel eddike i sit første fad. En MEGET billigere treårs udgave kan bruges med stor nydelse.
Navnet balsamico siges at komme af, at man i gamle dage brugte eddiken som balsam mod gigt, pest, impotens og andre sygdomme.
Aceto balsamico kan foruden i dressinger bruges med fordel i marinader og saucer eller i sammenkogte retter.

MENU 4

- *Jordbærsalat med avocado*
- *Pastasalat med hummerhaler*
- *Farfalle med artiskok*
- *Karamelliseret appelsindessert*

4 min. Tilsæt strimlerne af bladselleri de sidste minutter.

3. Tag hummerhalerne op. Blend halvdelen med piskefløden eller finhak dem og bland dem godt med piskefløden.

4. Smelt smørret i en gryde. Tilsæt det purerede hummerhalekød. Tilsæt paprika. Tilsæt væsken med gulerodsskiverne og bladselleristrimlerne. (Husk at fjerne laurbærbladet). Tilsæt evt. lidt mere vand eller piskefløde. Smag saucen til. Lad den stå og småsimre.

5. Kog pastaen, til den er al dente (se side 12). Kom pastaen i et dørslag, så vandet løber fra.

6. Kom de sidste hummerhalestykker i hummerhalesaucen. Varm blandingen igennem nogle få minutter.

7. Servér pastaen på en tallerken med den varme hummerhalesauce over.

FARFALLE MED ARTISKOK

(1 portion)
100 g farfalle (pastasommerfugle), 1 artiskok skåret i stykker til salat (se side 37), 1 lille løg, 2 skiver bacon, 1 fed hvidløg, 2 spsk citronsaft, 1 spsk olivenolie, frisk persille, salt og friskkværnet peber.

1. Klargør artiskokken som vist og forklaret på side 37. Lad artiskokstykkerne ligge i vand med citron.

2. Pil løget og skær det i skiver. Svits løgringene i olivenolie i en gryde. Bland artiskokstykkerne i. Tilsæt presset hvidløg. Tilsæt lidt vand. Lad blandingen koge i 5 min. Smag til med citronsaft, salt og friskkværnet peber.

3. Skær baconen i små stykker og kom dem i

blandingen. Kog blandingen under låg i 20 min.

4. Kom pastaen med lidt salt i kogende vand. Kog den, til den er al dente (se side 12). Kom pastaen i et dørslag, så vandet løber fra. Tilsæt evt. pastaen meget lidt olie, dæk den til og hold den varm, til saucen er færdig.

5. Hak persille og rør den i bacon- og artiskoksaucen. Tilsæt evt. lidt olivenolie.

6. Servér pastaen med den varme bacon- og artiskoksauce. Drys med friskkværnet peber og pynt med friske kviste af persille.

KARAMELLISERET APPELSINDESSERT

(1 portion)
1 stor appelsin, 50 g sukker, 5 spsk vand, 2 kryddernelliker, 1 tsk cognac.

1. Skræl appelsinen.
2. Riv skrællen på et rivejern. (Der skal bruges 2 spsk reven appelsinskal).
3. Kom den revne appelsinskal i en gryde. Dæk lige de revne skalstykker med vand. Bring vandet i kog og lad derefter væsken stå og småsimre i 4 min.
4. Hæld væsken gennem et dørslag. Gem væsken. Lad de revne stykker appelsinskal dryppe af.
5. Fjern alt det hvide fra appelsinen. Skær appelsinen i fire skiver på tværs (se foto).
6. Kom sukkeret og vandet i en gryde. Kom kryddernellikerne ved. Kog væsken til den bliver brunlig og sirupstyk.
7. Tag gryden af varmen. Tilsæt væsken fra den kogte, revne appelsinskal.
8. Sæt gryden tilbage over varmen. Kog igen ind til sirup. Tag kryddernellikerne op.
9. Tag gryden af varmen igen og tilsæt cognacen.
10. Anret appelsinen på en tallerken med siruppen over. Drys med den revne appelsinskal.

I bjergene ved pavens sommerslot lidt sydøst for Rom ligger nogle høje, hvor vinen vokser tæt mellem cypresser og rigmandsvillaer. Der har man i mange hundrede år høstet direkte til pavernes og rigmændenes fornøjelser – druen til Frascati-vinen. Folket fik kun lov til at smage vinen ved særlige lejligheder. Som for eksempel ved indsættelse af en ny pave. Så sprang samtlige springvand i Rom med Frascativin. Vinen er opkaldt efter en lille by ude i bjergene. Husets vin serveret på kande på de romerske tavernaer i dag kaldes Frascati, men kommer sjældent fra de rigtige skråninger.

PASTAANRETNING MED ANSJOSER OG ÆG
Pasta Nicoise

(1 portion)
60 g fusilli (skruer), 4 sardeller (dåseansjoser), 4 oliven, tun fra dåse (ca. 3 spsk), 1/2 spsk friskhakket persille, 1/2 spsk friskhakket purløg eller mynte, 1 hårdkogt æg.

Dressing: 1 fed friskhakket hvidløg, 1 tsk dijonsennep, 1 spsk vineddike, 1 1/2 spsk olivenolie, salt og peber.

1. Lad olien dryppe af sardellerne. Lad væden dryppe af tunen.
2. Kog vand i en gryde. Tilsæt pastaskruerne og lidt salt. Kog pastaen, til den er al dente (se side 12). Lad pastaen dryppe af i et dørslag. Skyl den i koldt vand, og lad den dryppe godt af igen.
3. Rul hver ansjosfilet om en oliven. Pil ægget og skær det i både. Rør dressingen. Bland pasta, tun, persille og purløg i en skål med dressingen. Anret pastaen på en tallerken og pynt med sardelrullerne og æggebådene.

GRØN PASTARET

(1 portion)
80 g penne (pastarør), 1/2 mellemstor courgette, 4 asparges, 1 dl små broccoli-buketter, 1 håndfuld sukkerærter, 3 spsk ærter, 2 spsk friskhakket persille, 2 tsk smør, 1/2 dl grøntsagsvand, 2 spsk fløde, 2 tsk reven parmesan, 1 drys reven muskatnød, olivenolie, salt og friskkværnet peber.

1. Kog vand i en gryde. Tilsæt pastaen og lidt salt. Kog pastaen, til den er næsten kogt. Hæld vandet fra og dæk pasten til. Tilsæt evt. lidt olivenolie.
2. Skær courgettestykket i skiver. Skræl aspargesene.
3. Kom courgetteskiverne i letsaltet, kogende vand i 3 min. Tilsæt de andre grøntsager til sidst.

MENU 5

- *Pastaanretning med ansjoser og æg*
- *Grøn pastaret*
- *Gratineret tortellini*
- *Pæretærte*

4. Smelt smørret i en gryde. Tilsæt grøntsags-
   vand, fløde, reven muskat, salt og peber. Rør
   saucen sammen. Tilsæt evt. lidt mere grønt-
   sagsvand. Smag saucen til.
5. Tilsæt pastaen og grøntsagerne og varm ret-
   ten igennem. Vend forsigtigt blandingen
   imens.
6. Anret pastaen på en tallerken og servér ret-
   ten med reven parmesan og friskkværnet
   peber.

GRATINERET TORTELLINI

(1 portion)
100 g tortellini (rund pasta med kødfyld), 80 g rengjorte cham-
pignoner, saften af en 1/2 citron, 30 g smør (1 spsk), tynde ski-
ver af smør, 2 spsk piskefløde, 2 spsk tomatpuré, 2 spsk reven
parmesan, salt og peber.

1. Sæt ovnen på 200°C.
2. Kom tortellinierne i kogende vand med lidt
   salt i ca. 16 min.
3. Skær champignonerne i skiver. Brun dem i
   smørret i en gryde. Tilsæt citronsaft, salt og
   peber. Smag til. Tilsæt tomatpureen og flø-
   den. Varm saucen igennem under omrøring.
4. Læg halvdelen af tortellinierne i et lille
   smurt fad eller en ovnfast skål. Hæld halv-
   delen af saucen over. Læg resten af tortelli-
   nierne over. Hæld det sidste af saucen over.

Drys med parmesanost. Læg smørskiverne
øverst.
5. Sæt retten i ovnen i 15 min.

SÅDAN RULLER OG FORMER MAN EN TORTELLINI.

Hjemmelavet tortellini, se side 48.

Poetisk siges Tortellini at være formet efter den skønne
gudinde Venus' tommelfinger.

En sardel er en ansjosfilet.
En ansjos er en lille havfisk med en maksimumlængde på
20 cm. Bliver den solgt frisk, hvilket er sjældent, bliver den
stegt eller marineret som sardiner.
Ansjoser bliver solgt saltede, i dåser, som hele fisk i olie eller
fileter i dåser (flade, rullede, i olie, i en pikant sauce).
Ansjoser uden for dåse skal opbevares i køleskabet.

PÆRETÆRTE

(4 portioner)
275 g mel, 125 g sukker, 125 g smør, 1 æg, 1 æggeblomme,
2 tsk vanillesukker, 3 spsk vand, 1/2 tsk salt.

Fyld: 4 spsk abrikosmarmelade, 60 g krummer af søde småka-
ger, 900 g skrællede pærer, 90 g rosiner, 60 g brun farin, 1 tsk
stødt kanel, flormelis.

Tærteform med diameter: 25 cm.

1. Bland mel og salt. Læg det i en bunke på
   bordet. Lav en fordybning midt i. Kom suk-
   keret, smørret, ægget, æggeblommen, vanil-
   lesukkeret og vandet i fordybningen.
2. Brug fingrene og ælt ingredienserne sam-
   men udefra og indefter. Tilsæt evt. mere
   vand. Dejen skal blive glat.
3. Pak dejen ind og sæt den i køleskabet til den
   er fast (ca. 1 time).
4. Sæt ovnen på 200°C.
5. Fjern kernehusene fra pærerne. Skær pærer-
   ne i meget tynde skiver.
6. Rul 3/4 af dejen ud og beklæd den smurte

tærteform. Smør abrikosmarmeladen i tær-
tebunden. Drys med småkagekrummerne.
7. Arrangér de tynde pæreskiver i tærten.
   Drys med kanel, rosiner og brun farin.
8. Rul den sidste 1/4 af dejen ud i tynde pøl-
   ser. Arrangér dem i krydsform over tærten
   (se foto).
9. Sæt tærten i ovnen i 50 min.
10. Lad tærten køle af og servér den med flor-
   melis drysset på gennem en sigte.

KAMMUSLINGER MED HVIDLØG

(1 portion)
5 kammuslinger, 1 fed finthakket hvidløg, 1 spsk olivenolie,
1 spsk tør hvidvin, 1 spsk citronsaft, citronskiver, 1 spsk frisk-
hakket persille, persille til pynt, salt og friskkværnet sort peber.

1. Skyl kammuslingerne under koldt vand. Lad dem dryppe af på et stykke køkkenrulle.
2. Varm olien i en stegepande. Tilsæt hvidløg og persille og steg i ca. 1/2 min. Tilsæt kammuslingerne. Krydr med salt og friskkværnet sort peber.
3. Læg et låg over panden og steg muslingerne i 4 min. Rør i blandingen for hvert minut.
4. Tilsæt vinen. Lad kammuslingerne simre i yderligere 2 min.
5. Tag låget af og skru op for varmen. Steg i ganske få min., mens væden koger noget ind.
6. Tilsæt citronsaft og servér kammuslingerne pyntet med citronskiver og persillekviste.

TAGLIATELLE MED PURERET AVOCADO OG REJER

Retten kan serveres kold eller varm.

(1 portion)
80 g tagliatelle (båndspaghetti i reder), 1/2 avocado, 1/2 løg,
1 dl pillede rejer, 1 tomat, 2 spsk citronsaft, 2 spsk olivenolie, et
par dråber tabasco, purløg, salt og friskkværnet peber.

1. Skær tomaten i små stykker. Pil løget.
2. Blend eller finhak løget som blandes med avocadokød, citronsaft, olivenolie, tabasco, salt og peber.
3. Kom pastaen og lidt salt i kogende vand i 5 min. Hæld pastaen i et dørslag, så vandet løber fra.
4. Bland straks pastaen med tomatstykkerne, rejerne og avocadopureen. Pynt med purløg.

MENU 6

- *Kammuslinger med hvidløg*
- *Tagliatelle med pureret avocado og rejer*
- *Fettuccine med kalkun*
- *Pærer i hvidvin*

FETTUCCINE MED KALKUN

(1 portion)
100 g fettuccine, 80 g kalkunkød, skinke (ca. 25 g), 1 artiskok,
1/2 løg, 2 spk citronsaft, 30 g smør (1 spsk), 1/2 dl piskefløde,
1 spsk madeira, salt og friskkværnet peber.

1. Rens artiskokkerne og fjern de yderste hårde blade (se side 37). Skær artiskokhjertet i skiver og læg dem i vand tilsat citronsaft, så de ikke bliver mørke.
2. Pil løget og hak det. Vend løgstykkerne i 1 tsk smør i en gryde. Tilsæt artiskokstykker, salt og peber og lad blandingen simre over svag varme. Tilsæt evt. lidt vand.
3. Sæt ovnen på 200°C.
4. Skær kalkunkødet og skinkekødet i tynde strimler. Brun kødet i en gryde i resten af smørret. Tilsæt gerne lidt vand. Tilsæt piskefløden under omrøring. Tilsæt madeira og lad saucen koge lidt ind. Krydr med salt og friskkværnet peber.
5. Kom fettuccinerne med lidt salt i kogende vand. Kog den al dente (se side 12). Kom fettuccinerne i et dørslag, så vandet løber fra.
6. Fordel fettuccinerne i en ovnfast skål. Dæk den med artiskoksaucen. Dæk den med kødet i sauce. Drys med parmesan og sæt skålen i ovnen i 2-3 min.
7. Servér retten evt. med lidt mere parmesan og friskkværnet peber.

Madeiraen kan erstattes med marsala.

Marsala er en siciliansk vin, der bliver produceret i området omkring byen af samme navn. Marsala som kaldes "vergine" er mindst fem år gammel. Marsala er brunlig og findes tør såvel som sød. Der findes også marsala, der har fået smag fra mandler, kaffe, chokolade, mandariner og andre frugter.

Tagliatelle er en båndspaghetti med form som flade bånd (6 mm). Den kan være gylden eller grøn. Tagliatelle er en specialitet fra Emila-Romagna, hvor en adelsmand blev inspireret til spaghettiens form, da han blev forelsket i Lucrezia Borgias smukke hår, fortælles det.
Der findes også varianterne taglierini (3 mm) og tagliolini, som er kortere. Fettuccine er en bredere båndpasta.

ARTISKOKHJERTET

1. Skær stilken af og fjern de neder-ste hårde blade.
2. Skær bladene af omkring artiskok-bunden.
3. Skær derefter top-pen af de tilbage-blevne blade af.
4. Skyl omhyggeligt artiskokken i vand med citronsaft.
5. Skær de tilbage-blevne blade af 2/3 op mod artis-kokkens top.
6. Træk de ydre grønne blade af, så hjertet kommer frem.
7. Fjern artiskok-hårene (skægget). Brug evt. en ske.

Man kan vælge at springe punkt 2 over og efter punkt 3 skære artiskokken i halve eller kvarte og så fjerne artiskok-hårene med en ske. Derefter lægges artiskokstykkerne i vand med citron, så de ikke bliver misfarvede.
Denne fremgangsmåde benyttes, hvor artiskokken f.eks. skal bruges til en salat, og det ikke kun er artiskokhjertet, der skal bruges.

PÆRER I HVIDVIN

(1 portion)
1 pære, 25 g sukker, 1 spsk reven citronskal, 1 stykke kanel (2 cm), korn fra vanillestang, 2 dl tør hvidvin (eller så meget vin at pæren er dækket i gryden), yderligere 25 g sukker til sirup.

1. Skræl pæren. Lad stilken sidde på.
2. Læg pæren i en gryde. Tilsæt sukker, vin, citronskal, kanelstykke og vanillekorn og bring det i kog. Læg låg på og kog under svag varme pæren, til den er mør. (Det tids-punkt hvor en kniv let går ind).
3. Tag pæren op og læg den fra til afkøling.
4. Kom det ekstra sukker i gryden og fortsæt med at koge lagen under kraftig varme, til den er kogt ind til sirup.
5. Læg pæren på en tallerken og hæld siruppen over.
6. Stil desserten køligt, indtil den skal serveres.

ITALIENSK OSTEDIP

(1 portion)
1/2 rød peberfrugt, 1/2 gul peberfrugt, 50 g gorgonzola, 1 dl creme fraiche 38%, 1 spsk citronsaft, 2 små drueagurker, salt og friskkværnet sort peber.

Serveres med grissini til (se side 66) og et udvalg af rå og kogte grøntsager (f.eks. blomkålsbuketter, forårsløg, grønne bønner og radiser).

1. Sæt ovnen på »grill«.
2. Rens de halve peberfrugtstykker for kerner.
3. Grill peberfrugterne med skindet opad i 5-7 min., til skindene er jævnt brankede og sprukne.
4. Læg dem nogle minutter i en plasticpose.
5. Tag peberfrugtstykkerne ud af plasticposen og fjern skindet. Hak kødet fint og stil det til side.
6. Læg osten i en skål og mos den med en gaffel. Tilsæt citronsaft og creme fraiche.
7. Hak drueagurkerne og kom dem i blandingen. Tilsæt peberfrugtkødet og rør godt.

Krydr med salt og friskkværnet sort peber.
8. Servér med grissini og et udvalg af kogte og rå grøntsager.

KARTOFFEL- OG BØNNESUPPE MED PASTA OG PESTO
Minestrone med pesto

(1 portion)
5 dl vand, 1 dl grøntsagsbouillon, 1/2 løg, 1/2 mellemstor courgette, 1 håndfuld grønne bønner, 1/2 dl ærter, 1 gulerod, 2-3 hvidkålsblade, 1 tomat, 2 mellemstore kartofler, 1 spsk olivenolie, 60 g farfalle (pastasommerfugle), 1 tsk parmesan, salt og peber.

Pesto: 1 spsk pinjekerner, 1 1/2 tsk olivenolie, 1 fed knust hvidløg, 1 spsk parmesan, 2 spsk friskhakket basilikum, salt og friskkværnet peber.

MENU 7

- *Italiensk ostedip*
- *Kartoffel- og bønnesuppe med pasta og pesto*
- *Pasta med havets frugter*
- *Tiramisu*

1. Skyl grøntsagerne. Grovhak løget. Skær courgettestykket i skiver. Skræl evt. guleroden og skær den i skiver. Finstriml hvidkålsbladene. Grovhak tomaten. Skræl kartoflerne og skær dem i terningstykker.
2. Bring vandet i kog. Tilsæt bouillonen. Tilsæt courgetteskiverne, gulerodsskiverne, kartofelterningerne og den fintstrimlede hvidkål. Krydr med salt og peber. Lad grøntsagerne koge i 10 min.
3. Tilsæt den grofthakkede tomat og pastaen. Krydr med salt og peber. Lad suppen koge videre i 10 min.
4. Blend pestoen sammen eller brug en morter og bland ingredienserne. (Se side 79).
5. Rør pestoen i suppen.
6. Lad suppen simre 5-10 min. mere, mens der røres med mellemrum.
7. Servér suppen meget varm.

PASTA MED HAVETS FRUGTER

(1 portion)
100 g gnocchi (pastaskaller), 80 g krabbekød, 80 g pillede rejer, 1/2 dl muslinger (uden skal), 3 spsk piskefløde, 2 spsk tør hvidvin, 1 spsk citronsaft, et par dråber tabasco, 1 spsk friskhakket persille, persille til pynt, 1/2 tsk gurkemeje, salt og friskkværnet peber.

Kog evt. muslinger i skal og pynt den færdige ret med dem.

1. Kom pastaen med lidt salt i kogende vand og kog den, til den er al dente (se side 12). Kom pastaen i et dørslag, så vandet løber fra.
2. Kog hvidvin og piskefløde sammen i en gryde. Tilsæt citronsaft, tabasco, gurkemeje, rejer og krabbekød. Tilsæt evt. lidt vand. Lad det simre uden at koge. Tilsæt til sidst muslingerne. Krydr og smag saucen til med salt og peber.

3. Vend forsigtigt pastaen i skaldyrssaucen.
4. Servér retten anrettet på en tallerken pyntet med persille og evt. muslinger i skal. Servér retten varm.

Muslinger købt levende skal være tæt lukkede og koges inden tre dage efter, at de er blevet fanget. Muslinger med halvåbne skaller, som ikke lukker sig, når der bankes forsigtigt på dem, skal smides væk.
Muslingerne skal fuldstændig renses for parasitter og andet på deres skaller, inden de bruges i madlavning. Dette gøres ved at skrubbe og skrabe dem under rindende vand. Kogte muslinger kan holde sig 48 timer i køleskabet.

TIRAMISÙ

(1 portion)
1 æg, 25 g sukker, 100 g mascarpone-ost, 1 dl marsala, cognac eller mørk rom, 50 g savoiardi kiks (ladyfingers), 1 spsk kakaopulver, 1/2 dl stærk (espresso) kaffe.

I stedet for kiks af typen savoiardi eller ladyfingers kan lagkagebunde af god kvalitet være en udmærket erstatning.

1. Del ægget.
2. Pisk æggeblommen sammen med sukkeret. Vend mascarpone-osten deri. Tilsæt marsala under omrøring.
3. Dyp savoiardi-kiksene i espresso-kaffen og kun så længe, at de kan nå at suge en smule til sig og stadig forblive faste.
4. Pisk æggehviden stiv og vend den forsigtigt i sukker-ostemassen.
5. Læg nu lagvis kiks og creme i en skål. Slut af med creme øverst.

6. Stil Tiramisùen i køleskabet. (Den bliver bedst efter 10-12 timer i køleskabet).
7. Drys desserten med kakao og servér.

Tiramisù (»træk-mig-op« eller »kvik-mig-op«) er en italiensk dessertklassiker.

Espressokaffe er en sort italiensk kaffe. Espresso laves på en espresso-maskine, som tvinger damp fra kogende vand gennem de malede kaffebønner.
Italienerne er også kendt for cappuccino-kaffen, der har fået navn efter sin lyse, brune farve som en hentydning til farven på kapucinermunkenes kutter. Stærk kaffe med skummende creme eller mælk serveret med et drys af kakao på skummet.

CHAMPIGNONER MED SMØR, HVIDLØG OG PERSILLE

(1 portion)
100 g rengjorte champignoner, 1 hakket fed hvidløg, 1 spsk (usaltet) smør, 1 spsk friskhakket persille, salt og friskkværnet peber.

Naturligvis kan man også bruge de mere udsøgte (og kostbare) kantareller eller karljohansvampe i stedet for champignoner eller markchampignoner.

1. Skær hver champignon i tre skiver.
2. Smelt smørret. Kom champignonskiverne i brusende smør og steg dem ved stærk varme, til de er gyldne og væden er fordampet.
3. Tilsæt hvidløg. Steg et øjeblik. Drys med friskhakket persille. Krydr med salt og friskkværnet peber.
4. Servér straks.

REJESUPPE MED PASTA

(1 portion)
100 g store rejer med skal, 50 g farfalle (sommerfugle), 1 finthakket forårsløg, 2 dl vand, 2 spsk piskefløde, 1/2 spsk olivenolie, 1 tsk gurkemeje, salt og friskkværnet peber.

1. Varm olien i en gryde. Tilsæt det finthakkede forårsløg og svits. Løgstykkerne må ikke blive brune.
2. Tilsæt vandet og bring det i kog. Kom rejerne i. Lad det simre i ca. 15 min.
3. Tilsæt gurkemeje. Smag til med salt og peber.
4. Si suppen. Pil rejerne. Få også al saften med fra rejerne ved at klemme hovederne godt med fingrene, inden rejehovederne kasseres.

MENU 8

- *Champignoner med smør, hvidløg og persille*
- *Rejesuppe med pasta*
- *Spinatlasagne*
- *Frugtsalat med spumante*

5. Kom pastaen med lidt salt i kogende vand. Kog den al dente (se side 12). Kom pastaen i et dørslag, så vandet løber fra.
6. Blend rejerne sammen med lidt af suppen.
7. Kom blandingen i resten af suppen sammen med den afdryppede pasta. Varm suppen op.
8. Tag den af varmen og rør piskefløden i.
9. Servér suppen i en skål eller tallerken, der gerne må være forvarmet.

SPINATLASAGNE

(1 portion)

100 g lasagne, 80 g hakket oksekød, 20 g bacon, 80 g hakket spinat, 10 g tørrede svampe, 1/2 løg, 1 æg, 1 tsk smør, 1/2 spsk mel, 1 spsk tomatpuré, 1 spsk olivenolie, 1 knsp muskat, 30 g reven parmesan, salt og peber.

1. Læg svampene i blød i varmt vand.
2. Sæt ovnen på 190°C.
3. Pil løget og hak det.
4. Hak baconenet og vend det i smørret i en gryde. Tilsæt oksekødet og løgstykkerne. Krydr med salt og peber. Bland tomatpureen med lidt vand og hæld den i kødsaucen.
5. Hæld vandet fra svampene og grovhak dem. Kom dem i kødsaucen.
6. Kog spinaten i lidt vand. Tilsæt muskat, halvdelen af parmesanosten, ægget og lidt salt. Rør godt i blandingen.
7. Bland melet med lidt vand og rør det i kødsaucen 4 -5 min., før den er færdig.
8. Kom lasagnepladerne med lidt salt i kogende vand. Kog dem, til de er al dente (se side 12). Hæld vand og lasagneplader i et dørslag, så vandet løber fra. Læg lasagnepladerne til tørre på et rent viskestykke.

10. Læg et lag spinat i bunden af en lille smurt ovnfast skål. Kom derover et lag lasagne, derefter kødsauce drysset med parmesan, så et lag spinat, et lag lasagne og igen et lag kødsauce. Fortsæt til alle ingredienserne er brugt. Øverst skal der være et lag kødsauce drysset med parmesan.
11. Bag lasagnen i ovnen, til overfladen er gylden og sprød.

Lasagne er italiensk pasta skåret i brede flade bånd (plader). Grøn lasagne er tilsat spinat og kan også fremstilles på brændenælder. Lyserød lasagne er tilsat tomat. Lasagne kan også laves med fuldkornsmel.

Italien har været den største vinproducent gennem tiderne og også eksportør, selv om der bliver drukket meget vin i Italien. Næsten hver provins fremstiller sine egne bordvine og også vine, der kommes i desserter, mousserende vine (især nordpå) og enorme mængder af vermouth og adskillige likører.

Alle vine produceret nordpå (Toscana og Piemonte er to af hovedområderne i produktion af kvalitetsvin) er meget forskellige fra vine produceret sydpå eller på Sicilien, selv om de er produceret på næsten ens druer. Meget firkantet kan det siges, at Norditalien producerer de bedste rød- og hvidvine samt mousserende vine som dem fra Asti. Emilia Romagna er berømt for Lambrusco både rød og hvid. Det nordlige Alto Adige-område er berømt for sine mange fine hvidvine og vinene fra Frascati, både de tørre og søde, kommer fra områderne omkring Rom. Sicilien er mest kendt for sine marsalavine, som kan være såvel tørre som søde, men Sicilien er også kendt for sine bordvine fra Mount Etnas vulkanske skråninger.

Der er sandsynligvis tusindvis af forskellige likører i Italien. Grappa fremstillet på distillation af rester af pressede druer bør nævnes.

FRUGTSALAT MED SPUMANTE

(1 portion)
1/2 dl spumante (italiensk mousserende vin), 2 spsk citronsaft, 2 tsk sukker, friske frugtstykker (f.eks fra æbler, pærer, appelsiner, mandariner, fersken eller nektariner), grønne druer, 2 tsk rosiner, 3 grofthakkede valnødder.

1. Skær druerne i halve og fjern stenene.
2. Vælg frugter, skræl dem, fjern evt. kernehuse og sten og skær dem i stykker.
3. Bland spumanten med citronsaft og sukker. Vend de halve druer og frugtstykkerne deri.
4. Kom frugtsalaten i et portionsglas og sæt den i køleskabet. Lad den trække nogle timer i køleskabet, inden den serveres.

PASTAREDE MED MUSLINGESALAT

(1 portion)
1 tagliatelle (pastarede), 50 g muslinger uden skal (fra dåse),
1-2 ansjosfileter (sardeller), 1/2 spsk kapers, 1/2 spsk maizena-
mel, 1 knsp stærk sennep, 1 spsk creme fraiche 38%, lidt citron-
saft, salt og friskkværnet sort peber.

1 Kom pastaen i kogende vand og kog den til
   den er al dente (se side 12).
2. Hæld muslingelagen fra i en skål. Kom
   kaperserne i et dørslag så væden løber fra.
3. Skær ansjosfileterne i små stykker.
4. Bland muslingerne med ansjosfileterne og
   de afdryppede kapers.
5. Rør maizenamelet sammen med fire spsk
   muslingelage.
6. Bring 3/4 dl vand i kog, kom maizenablan-
   dingen i og kog saucen kraftigt op. Smag til
   med sennep, citron, salt og peber.
7. Vend creme fraichen og muslingeblandingen
   i saucen, uden at den koger.
8. Afdryp pastareden, læg den på en tallerken
   og hæld muslingesauce over.

PASTA MED OSTE- FLØDESAUCE

(1 portion)
60 g pastarør (penne rigate), 20 g gorgonzola, 1/2 dl piskefløde,
1 tsk smør, salvie, salt og peber.

1. Kom pastaen i kogende vand og kog den, til
   den er al dente se side 12.
2. Kog fløden med 1/2 tsk salvie og lidt peber.
3. Tilsæt gorgonzolaen og smelt den i fløden
   ved svag varme.
4. Kom pastaen i en sigte, så vandet løber fra.
5. Rør lidt smør i pastaen og anret den på en
   tallerken. Hæld gorgonzolasauce over og
   servér retten straks.

MENU 9

- *Pastarede med muslingesalat*
- *Pasta med oste- flødesauce*
- *Tortellini med kylling*
- *Iscreme*

TORTELLINI MED KYLLING

(1 portion)
100 g færdiglavet eller evt. hjemmelavet tortellini (se side 32 og i næste spalte), 60 g broccolibuketter, 40 g gorgonzola, 25 g creme fraiche 38%, 3 spsk gaio eller yoghurt naturel.

1. Skær broccolien ud i små buketter og kom dem i kogende letsaltet vand i et par minutter.
2. Smelt gorgonzolaen sammen med creme fraichen i en gryde ved svag varme.
3. Kom tortellinierne i kogende vand og kog dem, til de er al dente se side 12.
4. Rør yoghurten/gaioen og broccolien forsigtigt i ostesaucen. Saucen skal kun varmes. Den må ikke koge.
5. Servér pastaen med den varme oste-broccolisauce over.

HJEMMELAVET TORTELLINI

(1 portion)
100 g pastadej (se side 82), 75 g kogt kyllingekød, 40 g let stegte baconskiver, 1/2 æg, 15 g parmesanost, 1 fed finthakket hvidløg, 1/2 tsk tørret oregano, mere reven parmesanost og peber.

1. Hak kyllingekødet og baconskiverne fint – brug evt. en blender.
2. Tilsæt æg, hvidløg, oregano, parmesanost og peber. Rør ingredienserne godt sammen.
3. Rul pastadejen ud og skær eller stik cirkler ud på ca. 5 cm i diameter (se side 32).
4. Læg 1/2 tsk fyld på hver cirkel.
5. Fold den ene halvdel af cirklen over fyldet til den næsten når til kanten af den anden halvdel.
6. Tryk kanterne godt sammen.
7. Sæt en pegefinger mod bordpladen og fold den halvcirkelformede pasta om fingeren. Stræk den ene endesnip over den anden og tryk enderne godt sammen.
8. Læg tortellinierne på et klæde og lad dem tørre ca. en time.
9. Kom tortellinierne i kogende vand og kog dem til de er al dente (se side 12).
10. Kom pastaen i et dørslag, så vandet løber fra.
11. Varm den valgte sauce.
12. Anret tortellinierne på en tallerken, hæld saucen over og drys efter ønske med reven parmesanost og friskkværnet peber.

OSTE

MOZZARELLA

*Mozzarella er den mest solgte friskost i Europa.
Mozzarella er en utrolig alsidig ost, der fremhæver smagen
af andre ingredienser. Mozzarella er velegnet til alt fra
pizza til soufflé.*

RICOTTA

*Ricotta er en italiensk hytteost, der er cremet og fyldig i
smagen. Den kan bruges i både salat og sandwiches samt
til fyld i madpandekager.
Ricotta er MEGET velegnet til forskellige pastaretter,
ligesom brugen af osten i desserter er kendt. Her tænkes
blandt andet på ostekager.*

MASCARPONE

*Mascarpone er meget cremet og er en blød ost, som giver et
sidste »løft« til såvel saucer som desserter.*

PARMESAN

*Parmesanosten fremstilles i nøje definerede områder
omkring Bologna, Mantova, Modena, Parma og Reggio
Emilia i perioden fra 1. april til 11. november, hvor
mælken er særlig rig på smag. Efter 1 års modning er osten
»fresco« og sælges som spiseost. Efter to år er den »vec-
chio«(gammel) og sælges som riveost og til brug i madlav-
ningen.
Efter tre år får den
betegnelsen »stravecchio«
og sælges som en kraftig
smagende dessertost.
(Se desuden side 20).*

GORGONZOLA

*Gorgonzola er en blød, gul-hvid ost med kraftige årer af
grå-blå skimmel. Den er meget populær sammen med nød-
der og druer, i saucer og som fyld i forskellige retter. Siden
1100-tallet er den blevet fremstillet i den lille by Gorgon-
zola der ligger i omegnen af Milano.*

ISCREME

*(1 portion)
1 spsk pistacienøddekerner,
1spsk valnøddekerner,
1 spsk hasselnøddekerner,
1/4 reven appelsinskal,
1/4 reven citronskal,
1 spsk sukat, 1 spsk cock-
tailbær, 1 spsk tørrede
abrikoser, 1 spsk rosiner,
75 g flødeost (5 spsk),
75 g creme fraiche 18%,
1/2 spsk cognac, 1/2 tsk
vanillesukker, 1 æggeblom-
me og 30 g brun farin.*

*I stedet for flødeosten og
creme fraichen kan man
bruge ricotta-ost i opskriften.*

1. Rist hasselnøddekernerne på en pande.
2. Hak alle nødderne groft.
3. Hak sukat, cocktailbær, abrikoser og rosiner.
4. Bland de hakkede ingredienser med den rev-
   ne appelsin- og citronskal i en skål.
5. Rør nødde- og frugtblandingen sammen
   med ricottaen og cognacen.
6. Pisk æggeblommen grundigt sammen med
   sukkeret.
7. Vend æggemassen omhyggeligt sammen
   med ricottablandingen.
8. Kom iscremen i en form med frysefolie. Dæk
   formen med folie og stil den i fryseren.
9. Servér isen evt. pyntet med flødeskum og
   cocktailbær.

REJER MED MELON

(1 portion)
6-8 kogte skalrejer, 1/4 lille melon, citronsaft, salt, peber og citronmelisseblade til pynt.

1. Pil evt. rejerne eller servér dem som pil-selv rejer.
2. Skær melonstykket i tynde både og skær skrællen af, hvis rejerne serveres pillede.
3. Anret melonbådene på en tallerken, dryp citron over og drys med lidt salt og frisk-kværnet peber. Pynt med et par citronmelis-seblade.

SÅDAN PILLES REJERNE

TORTELLINI I KRYDRET BOUILLON

(1 portion)
50 g tortellini, 3-4 dl okse- eller hønsekødsbouillon, 1 tsk smør, 2 tsk reven parmesanost, 1 tsk hakket persille, 1 tsk hakket pur-løg, 1 tsk basilikum eller estragon og peber.

1. Bring bouillonen i kog.
2. Kom tortellinierne i den kogende suppe og skru ned på svag varme. Kog tortellinierne i ca. 15 min.
3. Tilsæt smør og krydderier.
4. Servér suppen rygende varm og drys den med hakket persille og reven parmesanost.

MENU 10

- *Rejer med melon*
- *Tortellini i krydret bouillon*
- *Spaghetti Bolognese*
- *Honning- og nøddekage*

SPAGHETTI BOLOGNESE

(1 portion)
100 g spaghetti, 1 spsk olivenolie, 1 lille hakket løg, 1 bladselle-
ristilk skåret i tynde skiver, 60 g bacon skåret i små strimler,
1 fed finthakket hvidløg, 100 g magert oksekød, 2 tsk tomatpu-
ré, 1 dl flåede tomater, 1/2 dl oksebouillon, 1/2 dl rødvin,
1/2 tsk tørret oregano, 1 knsp reven muskatnød, hakket persille,
salt og peber.

Kødsaucen kan også anvendes som lasagnesauce.

1. Svits det hakkede løg, selleriskiverne og
   baconstrimlerne i olie i en gryde.

2. Tilsæt det hakkede hvidløgsfed og oksekø-
   det, når løgstykkerne er svitset klare.

3. Svits oksekødet, til det ikke er rødt mere,
   skru ned for varmen og fortsæt svitsningen
   yderligere 5 min. under omrøring.

3. Rør tomatpureen, de flåede tomater, bouillo-
   nen, rødvinen og krydderierne i og lad blan-
   dingen småsimre i ca. 45 min.

4. Smag kødsaucen til med salt og peber.

5. Kog vandet til spaghettien. Kog spaghettien
   til den er al dente (se side 12).

6. Kom spaghettien i et dørslag, så vandet
   løber fra.

7. Rør 1 tsk. smør i den varme spaghetti.

8. Servér straks spaghettien med kødsaucen
   hældt over. Drys med hakket persille.

Italiensk pasta er kendt verden over.
I Italien bliver pasta serveret som første ret nogle gange med
smør og parmesanost eller dækket med en tyk tomatsauce, en
kødsauce (à la bolognese), en carbonara sauce (fremstillet af
skinke, æg, fløde, peber og reven ost) eller med mange andre
forskellige saucer.
Pasta kan være basis for mange delikate retter sådanne som
den neapolitanske spaghetti »alle vongole«, som bliver lavet
med muslinger, tomater og hvidløg. Pesto er en sauce fra
Genova lavet på basilikum, persille og merian tilsat olie, par-
mesan og hvidløg. Pesto bliver spist med spaghetti eller tag-
liatelle.
Cannelloni, ravioli og tortellini er pasta med fyld, men også
capelletti fra Emilia (pasta med fyld af kylling, ost og æg) og
pansotti fra Rapallo (pasta med spinatfyld serveret med val-
nøddesauce) er pastaer med fyld. Af andre kendte pastaretter
kan nævnes maccheroni alla siciliana (kødboller, mozzarella-
ost og stegte auberginer og til sidst pasta con le sarde, en
gratin af makaroni i sardinsauce med fennikel og rosiner
serveret med friske sardiner.

HONNING- OG NØDDEKAGE
Panforte di Siena

(1 portion)
30 g smuttede mandler, 40 g hasselnøddekerner, 20 g sukat ,
15 g tørrede abrikoser, 15 g rosiner, 1/4 reven appelsinskal, 15 g
hvedemel, 1/2 spsk kakao, 1/2 tsk kanel, 30 g brun farin, 45 g
honning og flormelis til pynt.

En lille skål med diameter: 15 cm.

1. Rist mandlerne på en pande, til de er lyse-brune.
2. Hak hasselnøddekernerne groft.
3. Hak de tørrede abrikoser og rosinerne og bland dem med de hakkede nødder og den revne appelsinskal.
4. Bland melet med kakaoen og kanelen.
5. Rør melblandingen sammen med nøddblandingen og mandlerne.
6. Kom bagepapir i en rund 15 cm form. (Hvis portionen firedobles, anvendes en 25 cm rund form).
7. Smelt sukkeret og honningen på en pande, og kog det ved svag varme til det bliver tykkere og mørkere. Rør straks nøddeblandingen sammen med sukkermassen og hæld blandingen i bageformen.
8. Sæt formen i ovnen og sæt ovnen på 150°C.
9. Bag kagen i 60 min. Tag kagen ud og lad den køle af i formen.
10. Tag kagen ud af formen og fjern papiret.
11. Kom flormelis i en sigte og drys et lag på kagen.
12. Servér kagen i meget tynde stykker. Kagen er næsten som konfekt.

Panforte di Siena er kendt som en italiensk julekage.

PASTASALAT MED LAKS OG SVAMPE

(6 portioner)
360 g fettuccine (båndpasta), 300 g røget laks, 150 g rengjorte champignoner, 240 g forårsløg (hvor det meste af de grønne toppe er skåret fra), 150 g courgette, 120 g aubergine, 3 dl grønne bønner, 1 1/2 dl piskefløde, 3 æggeblommer, 6 spsk olivenolie, 6 spsk hvidvin, lidt vand, salt og friskkværnet peber.

Champignonerne kan erstattes af andre svampe.

1. Skyl courgetterne og auberginestykket. Skær grøntsagerne i skiver. Drys dem med lidt salt.
2. Rengør forårsløgene. Skær stort set det meste af de grønne toppe af. Skær løgene i halve. Skær champignonerne i skiver. Skær de grønne bønner i store stykker.
3. Skær laksekødet i strimler.
4. Kom courgetteskiverne og aubergineskiverne ind i et fugtigt viskestykke og tør (dup) saltet af dem.
5. Kom olien på panden. Tilsæt grøntsagsstykkerne. Damp dem bløde i nogle minutter.

Tilsæt hvidvinen. Krydr med salt og friskkværnet peber.
6. Rør æggeblommerne ud i piskefløden. Tilsæt grøntsagsvand fra panden. Varm blandingen igennem over svag varme i en gryde. Smag til med salt og peber.
7. Kom pastaen med lidt salt i kogende vand. Kog den, til den er al dente (se side 12). Kom pastaen i et dørslag, så vandet løber fra.
8. Vend den afdryppede pasta i urteblandingen og saucen. Servér pastaen i en stor skål med laksestrimlerne enten vendt i pastaen eller arrangeret ovenpå. Krydr med friskkværnet peber.

GRØN PASTASALAT

(6 portioner)
360 g rigatoni (rillede pastarør), 3 grønne peberfrugter, 3 løg, godt med persille (et lille bundt), 1 bundt purløg, 240 g gorgonzola, 3 hårdkogte æg, 2 dl creme fraiche 18%, 4 spsk kryddereddike, salt og friskkværnet peber.

1. Kom pastaen med lidt salt i kogende vand. Kog den, til den er al dente (se side 12). Kom pastaen i et dørslag, så vandet løber fra.

BUFFET 1
Grøn buffet

- *Pastasalat med laks og svampe*
- *Grøn pastasalat*
- *Olivenbrød*
- *Landbrød*
- *Cannelloni med grøntsagsfyld*
- *Lakseroulade*
- *Lasagne verde*
- *Brødsalat*

2. Rengør peberfrugterne for stilk, ribber og kerner. Skyl peberfrugterne og skær dem i strimler. Pil løgene og hak dem fint. Skyl persille og purløg. Lad dem dryppe af og snit dem fint. Tag lidt purløg fra til pynt.
3. Mos gorgonzolaen. Rør eddike, creme fraiche, løgstykker og urter i. Krydr med salt og friskkværnet peber.
4. Pil æggene og hak dem fint.
5. Bland peberfrugtstrimlerne i den afdryppede pasta. Vend forsigtigt gorgonzolasaucen i pastaen.
6. Servér pastaen i en stor skål drysset med hakket æg og purløg. Krydr med friskkværnet peber.

OLIVENBRØD

(1 eller 2 stk.)
700 g hvedemel, 30 g gær, 3 1/4 dl lunkent vand, 4 spsk olivenolie, lidt ekstra olivenolie til pensling, 1 tsk sukker, 1 knsp salt, 1 spsk friskhakket oregano, 30 g afdryppede grønne oliven uden sten.

1. Sigt mel og salt ned i et stort dejfad. Tilsæt oregano.
2. Rør gæren ud i det lunkne vand, mælk og sukker i en skål. Lad blandingen stå i 10-15 min.
3. Rør olien i gærblandingen.
4. Rør olie-gærblandingen i melet. Rør godt. Dejen skal blive blød, men ikke klæg. Tilsæt evt. lidt mere lunkent vand.
5. Smør en skål med olie.
6. Vend dejen ud på en meldrysset bordplade. Ælt dejen i 5 min. Læg dejen i den smurte skål. Stil den tildækket et lunt sted i 40 min. Lad den hæve til dobbelt størrelse.
7. Smør en eller to bageplader.
8. Vend dejen ud på en meldrysset bordplade. Rul den ud til ét stort brød cirkelformet og 2 1/2 cm tyk – eller – del dejen i to og rul dem hver ud til to ovaler lidt over 1 1/2 cm tykke.
9. Læg dejen på bagepladen/bagepladerne.
10. Prik med en meldyppet finger huller i overfladen af brødet/brødene. Pres en oliven ned i hvert hul. Pensl brødet/brødene. Lad det/dem efterhæve i 25 min.
11. Bag brødet/brødene, til overfladen er smuk gyldenbrun, og undersiden lyder hul, når man banker på den (ca. 30-35 min.).
12. Lad brødet/brødene afkøle på en bagerist.

LANDBRØD

(2 stk.)
900 g hvedemel, 50 g gær, 5 dl lunkent vand, et drys salt.

1. Opløs gæren i 2 dl af det lunkne vand i en stor skål.
2. Sigt nok mel i til at kunne lave en blød dej mellem hænderne.
3. Dæk skålen til og sæt den til hævning et lunt sted. Lad gærdejen hæve til dobbelt størrelse.
4. Sigt det mel, der er tilbage, ud på en træ- eller marmorflade. Lav en bunke af melet. Lav en fordybning i midten af bunken. Hæld lidt vand i fordybningen. Begynd at arbejde med melet. Ælt med hænderne ind mod midten. Ælt dejen sammen med gærdejen, når dejen har fået tilstrækkeligt vand til, at den hænger sammen. Ælt i 5-10 min. Løft den med mellemrum op og bank den ned i bordet. Bliv ved, til dejen ikke længere klistrer til hænderne.
5. Stænk en stor skål med vand. Læg dejen i skålen. Dæk skålen med et viskestykke og lad dejen hæve til dobbelt størrelse et lunt sted (ca. 30 min.).
6. Ælt dejen igen i 5-10 min. Del dejen i to store boller. Lad dem efterhæve 20 min.
7. Sæt ovnen på 180°C.
8. Smør en bageplade. Drys den med mel.
9. Sæt brødene i ovnen. Bag dem, til de er sprøde (ca. 30 min.).

CANNELLONI MED GRØNTSAGSFYLD

(12 stk.)
12 cannelloni (store pastarør med plads til fyld), 540 g hakket spinat, 2 små løg, 360 g ricottaost, 3 spsk reven parmesanost, rasp, 1 1/2 spsk olivenolie, 1 (strøget) tsk reven muskatnød, salt og friskkværnet peber.

Dertil 6 dl bechamelsauce (se side 80 – 5-6 portioner).

1. Sæt ovnen på 180°C.
2. Pil løgene og hak dem fint.
3. Bland den afdryppede, hakkede spinat med ricotta, løg og reven muskatnød. Krydr med salt og friskkværnet peber.
4. Kom cannelloni-pastaen med lidt salt i kogende vand. Kog dem til de er al dente (se side 12). Kom pastaen i et dørslag, så vandet løber fra.
5. Lav bechamelsaucen (se side 80 – lav 5-6 portioner).

6. Kom det grønne fyld i de afdryppede pasta-rør.

7. Anret cannellonierne i et ovnfast fad. Hæld bechamelsaucen over. Drys med rasp og parmesan.

8. Bag cannellonierne i ovnen i 15 - 20 min.

LAKSEROULADE

(6 små portioner)
3 plader lasagne, 100 g røget laks, 1 avocado, 1 bundt brønd-karse, 1 spsk friskhakket dild, dild til pynt, 3 forårsløg, 1 tsk reven peberrod, 1/2 dl mayonnaise, 1/2 dl creme fraiche, evt. lidt mælk, citronsaft, citronskiver, salt og friskkværnet peber. Husholdningsfilm.

1. Kom lasagnepladerne med lidt salt i kogende vand. Kog dem, til de er al dente (se side 12). Kom dem i et dørslag, så vandet løber fra. Skyl dem i koldt vand eller kom dem i koldt vand. Dup dem tørre.

2. Skyl brøndkarsen. Kom den 10 sekunder i kogende vand. Tag den op og kom den i en skål med koldt vand. Hæld vandet fra. Pres den forsigtigt tør i et viskestykke. Hak den fint.

3. Istandgør forårsløgene. Skær næsten hele den grønne top af hvert løg. Skær løghårene af. Finhak løgene.

4. Bland brøndkarse, forårsløg, olivenolie, reven peberrod, salt og friskkværnet peber i en skål.

5. Halvér avocadoen. Fjern skallen og stenen. Skær avocadokødet i skiver på langs. Dryp skiverne med citronsaft.

6. Læg lasagnepladerne ud enkeltvis. Bred brøndkarseblandingen ud over hver lasagneplade. Læg skiver af røget laks over. Læg avocadoskiverne tværs over i den ene ende.

7. Begynd i den ene ende ved avocadoskiverne og rul lasagnepladen sammen om fyldet. Pak hver enkelt roulade ind i husholdningsfilm. Stil dem i køleskabet to timer.

8. Bland mayonnaise, creme fraiche, dild, salt og friskkværnet peber i en skål. Tilsæt evt. lidt mere creme fraiche (eller mælk), hvis saucen ikke har en tilstrækkelig flydende konsistens.

9. Skær hver roulade i skiver à 2 cm.

10. Servér skiverne pyntet med citronskiver og dildkviste og med dildsaucen til.

LASAGNE VERDE

(6 portioner)
240 g lasagneplader, 700 g hakket, afdryppet spinat, 2 store bøftomater, 60 g mel, 3 dl mælk, 100 g (fed) flødeost, 100 g mozzarellaost, 4 spsk smør, 1 spsk olivenolie, olivenolie til fadet, 1/2 tsk tørret oregano, 1 drys friskreven muskatnød, salt og friskkværnet peber.

1. Sæt ovnen på 200°C.
2. Kom spinaten 2 min. i letsaltet, kogende vand. Hæld vandet fra (men gem det).
3. Smelt smørret i en gryde. Rør melet i. Tilsæt mælk og lidt spinatvand. Rør godt. Smag til med reven muskatnød og friskkværnet peber. Rør flødeosten i saucen. Smuldr mozzarella-osten i blandingen.
4. Skyl tomaterne og skær dem i skiver.
5. Kom lasagnepladerne med lidt salt i kogende vand. Kog dem, til de er al dente (se side 12). Kom dem i et dørslag, så vandet løber fra. Kom dem i en stor skål med koldt vand.
6. Smør et ovnfast fad med olie. Læg et lag spinat, så et lag pasta, derefter et lag spinat, derover et lag tomatskiver drysset med oregano og dækket af ostesauce. Gentag lagene i opbygningen af lasagnen. Slut af med ostesauce over det hele.
7. Sæt lasagnen i ovnen på midterste rille og bag den i 30 min.

BRØDSALAT

(6 portioner)
300 g fast, hvidt brød uden skorpe, 1 rødløg, 1/2 agurk, 6 tomater, 3 stilke bladselleri, frisk basilikum, 12 sorte eller grønne oliven uden sten, 6 spsk olivenolie, 3 spsk (rødvins)eddike, 1 tsk balsamicoeddike, salt og friskkværnet peber.

1. Pil løget og skær det i skiver. Skyl agurken og skær den i tern. Skær tomaten i både. Skyl bladsellerien. Skær bladene fra og skær bladsellerien i strimler. Skær brødet i små tern.
2. Bland olie og eddiker. Krydr med salt og peber. Dyp brødstykkerne deri.
3. Bland salaten. Hæld resten af olien og eddiken over. Servér.

LASAGNE ALLA BOLOGNESE

(6 portioner)
Pasta:
600 g lasagneplader (forkogte – al dente, se side 12)

Kødsauce:
500 g hakket oksekød, 3 spsk olivenolie, 100 g bacon, 2 mellem-store løg, 2 gulerødder, 2 bladselleristilke, 3 knuste fed hvidløg, 6 tomater, 3 spsk tomatpuré, 2-3 dl bouillon, 2 dl rødvin, 3 spsk hakket persille, 1/2 tsk reven muskatnød, salt og friskkværnet peber.

Bechamelsauce:
75 g smør, 75 g hvedemel, 4 1/2 dl mælk, salt og peber.

Dertil: 150 g parmesanost og lidt smør til at fordele over lasag-nen inden den bages.

1. Skær baconen i små terninger.
2. Pil løget. Skræl gulerødderne. Hak løgene, gulerødderne og bladselleristilkene fint.
3. Skær tomaterne i små stykker.
4. Opvarm olien i en gryde og svits de hakke-de løg, baconen og oksekødet i ca. 5 min.
5. Tilsæt de hakkede gulerødder og de hakke-de bladselleristængler. Svits blandingen yderligere et par minutter.
6. Tilsæt bouillonen, vinen, de hakkede toma-ter og persillen. Rør kødsaucen godt igen-nem og skru ned på svag varme.
7. Lad saucen småsimre i ca. 1/2 time. Tilsæt evt. lidt mere bouillon og smag til med salt og friskkværnet peber.
8. Kog mælken til bechamelsaucen i en gryde.
9. Smelt smørret i en anden gryde.
10. Rør melet i smørret ved svag varme.
11. Pisk mælken i blandingen og kog saucen ved svag varme i ca. 10 min.
12. Sæt ovnen på 200°C.
13. Smør et lille ovnfast fad.
14. Dæk bunden med et lag kødsauce og deref-ter et lag bechamelsauce.
15. Læg et lag lasagneplader oven på bechamel-saucen og derefter et lag kødsauce, så bechamelsauce, lasagneplader o.s.v. Slut med bechamelsauce som det øverste lag og drys et lag parmesanost over.
16. Fordel nogle små smørklatter over retten og bag den i ovnen i 30-40 min.

BUFFET 2

Rød-gul buffet

- *Lasagne alla Bolognese*
- *Pastasalat med tomat og ansjoser*
- *Pastaomelet*
- *Pastasalat med rejesauce*
- *Løgbrød*
- *Focaccia med rosmarin*
- *Auberginefad*
- *Courgette- og tomatfad*

PASTASALAT MED TOMAT OG ANSJOSER
Penne rigate alla pizzaiola

(6 portioner)
550 g penne rigate (rillede pastarør), 4 spsk olivenolie, 800 g tomater, 8 ansjoser (sardeller), 3 fed hvidløg, 3 spsk kapers, 20 grønne eller sorte oliven, 75 g reven parmesanost, persille, salt og friskkværnet peber.

1. Skær tomaterne i småstykker.
2. Hak ansjoserne. Skær hvidløgsfeddene i skiver.
3. Brun hvidløgsskiverne let i olien. Tilsæt de fire hakkede ansjoser og tomatstykkerne.
4. Kog saucen ind ved svag varme i ca. 20 min., til den bliver noget tykkere. Krydr med peber.
5. Kom pastaen med lidt salt i kogende vand og kog den, til den er al dente (se side 12). Kom pastaen i et dørslag, så vandet løber fra.

6. Kom pasta og oliven i saucen og rør ingredienserne sammen.
7. Anret pastaen på et fad og drys reven parmesanost og hakket persille over.

PASTAOMELET

(6 portioner)
Pastabund: 375 g vermicelli (tyndtrådet spaghetti – almindelig spaghetti kan også anvendes), 45 g smør, lidt ekstra smør til at smøre formen med.

Fyld: 90 g smør, 2 små løg, 225 g kogte muslinger uden skal, 1 lille rød peberfrugt, 1 lille gul peberfrugt, 2 1/4 dl mælk, 4 store æg, 3 spsk piskefløde, 1 1/2 tsk tørret oregano, 1 knsp reven muskatnød, friskkværnet peber, 1 1/2 spsk reven parmesanost, frisk basilikum til pynt.
Springform med en diameter på ca. 28 cm

Pastabunden:
1. Kom pastaen med lidt salt i kogende vand og kog den, til den er al dente (se side 12). Kom pastaen i et dørslag, så vandet løber fra.

2. Hæld pastaen tilbage i gryden og rør de 45 g smør i.
3. Smør springformen med smør.
4. Pres pastaen ned i bunden af formen. Gør pastabunden lidt højere i kanten.

Fyldet:
5. Sæt ovnen på 180°C.
6. Hak løgene. Svits løgstykkerne i smørret på en pande, til de er klare.
7. Tag løgstykkerne op og bred dem ud over pastabunden.
8. Svits muslingerne og peberfrugtstykker et par minutter i smørret. Fordel dem over løgstykkerne på pastabunden.
9. Pisk æggene, mælken, fløden, oreganoen og reven muskatnød sammen.
10. Hæld æggeblandingen over fyldet i pastabunden.
11. Drys friskkværnet peber og reven parmesanost over.
12. Bag pastaomeletten i ovnen i ca. 40 min. til fyldet er gyldent.
13. Servér pastaomeletten varm, lun eller kold pyntet med friske basilikumblade.

PASTASALAT MED REJESAUCE

(6 portioner)
750 g gnocchi (pastaskaller), 300 g skalrejer til saucen, 300 g kogte skalrejer til anretningen, 3 1/2 dl piskefløde, 2 dl tør hvid-

vin, 2-3 dl vand, saften af 1/2 citron, 1/2 tsk gurkemeje, 1 knsp cayennepeber, 1 spsk hakket persille, salt og peber.

1. Kog de 300 g rejer, til saucen i de 2-3 dl vand i 5-6 min.
2. Læg en sigte på en skål, hæld rejerne i og si kogevandet fra.
3. Hæld kogevandet tilbage i gryden og tilsæt piskefløden, hvidvinen, citronsaften og gurkemejen.
4. Kog saucen ind, til den bliver noget tykkere. Smag til med cayennepeber, salt og peber.
5. Kom pastaen med lidt salt i kogende vand og kog den, til den er al dente (se side 12). Kom pastaen i et dørslag, så vandet løber fra.
6. Vend saucen og de pillede rejer i den varme pasta.
7 Anret pastaen og skalrejerne på et fad. Drys pastaen med friskhakket persille.

LØGBRØD

600 g hvedemel, 40 g gær, 1/2 tsk salt, 1 1/2 tsk sukker, 2 1/2 dl håndvarmt vand, 5 spsk olivenolie, lidt ekstra olie til at smøre med, 1 finthakket løg, 2 fed hakkede hvidløg, 100 g tomatpuré, 1 dl friske basilikumblade, friskkværnet sort peber, æg til pensling og groft salt til at drysse over brødet.

1. Del gæren i mindre stykker. Rør den sammen med vandet og sukkeret i en skål.
2. Bland melet med den 1/2 tsk salt i et dejfad eller i en stor skål.
3. Rør lidt efter lidt gærblandingen og 4 spsk olie i melet, til dejen bliver blød uden at klistre.
4. Drys mel på en bordplade og ælt dejen godt igennem, til den er glat og elastisk.
5. Smør en skål med lidt olie og læg dejen deri. Dæk dejen til og lad den hæve til dobbelt størrelse på et lunt sted i ca. 40 min.
6. Sæt ovnen på 230°C.
7. Svits det hakkede løg og de hakkede hvidløgsfed let i resten af olien.
8. Vend dejen ud på et meldrysset bord. Del dejen i to lige store stykker.
9. Rul dejen ud i to lige store firkanter ca. 30x30 cm.
10. Læg den ene dejfirkant på en bageplade dækket af et stykke bagepapir. Prik huller i dejen med en gaffel.
11. Fordel løgblandingen på den hullede dejfirkant så der bliver en ca. 2 cm fri kant rundt om fyldet.
12. Fordel tomatpuré og basilikumbladene over løgfyldet. Drys friskkværnet peber over.
13. Fugt den frie kant med vand og læg den anden dejfirkant over. Tryk kanterne sammen med en gaffel eller klem dem sammen med to fingre ved at knibe oppefra, så der dannes en krøllet kant.
14. Rids et gittermønster i overfladen med en kniv. Pensl brødet med sammenpisket æg. Drys med groft salt. Lad det hæve i 25 min.
15. Sæt brødet i ovnen i 25 min., til det er gyldenbrunt, og undersiden er fast.

FOCACCIA MED ROSMARIN

(6 portioner)
650 g mel, 50 g gær, 3 spsk olivenolie, 3 1/4 dl håndvarmt vand, 1 tsk sukker, 2 spsk friske rosmarinblade (tørret rosmarin kan anvendes), groft salt, friskkværnet peber og 3 spsk olivenolie til at dryppe over brødet.

1. Del gæren i mindre stykker og rør den sammen med det lunkne vand, 3 spsk olivenolie og sukkeret.
2. Hæld melet ud på en bordplade og lav et hul i midten af bunken.
3. Hæld gærblandingen i lidt efter lidt i midten af melet. Bland dejen med hænderne, til al væsken er opsuget.
4. Ælt dejen grundigt igennem, til den er glat og elastisk. Form dejen til en kugle. Strø lidt mel i en skål og læg dejen deri. Smør dejen med lidt olie, dæk skålen til med et viskestykke og stil den lunt i ca. 1 time.
5. Sæt ovnen på 230°C.
6. Strø mel ud på bordpladen og rul dejen ud i en firkant eller cirkel med en tykkelse på ca. 2 cm.
7. Læg dejen på en bageplade dækket med bagepapir.
8. Prik dejen jævnt over det hele med en gaffel. Dryp hele overfladen med olivenolie. Drys derefter med rosmarin, friskkværnet peber og groft salt.
9. Bag brødet i ca. 20 min., til det er gyldent.

AUBERGINEFAD

(6 portioner)
Tomater, 2 auberginer skåret i skiver, 2 spsk hakket persille, 4 spsk pinjekerner, 2 hakkede fed hvidløg, citronsaft, olivenolie, balsamicoeddike, salt.

1. Drys aubergineskiverne med salt. Lad dem stå i 10 min. og dup dem tørre.
2. Steg aubergineskiverne i olivenolie til de er gyldne. Tilsæt persille, pinjekerner, hvidløg og saften af 1/2 citron.
3. Steg aubergineskiverne til de er møre.
4. Anret aubergineskiverne taglagt i rækker sammen med tomatskiver, der er dryppet med balsamico.

COURGETTE- OG TOMATFAD

(6 portioner)
700-800 g skiveskårede courgetter, 2 hakkede løg, 2 finthakkede fed hvidløg, 3 flåede tomater, 4-5 spsk olivenolie, 4 spsk friske basilikumblade, salt og peber.

1. Svits de hakkede løg i olivenolien, til de er let gyldne. Tilsæt de hakkede hvidløg og tomaterne og kog blandingen et par minutter.
2. Tilsæt courgetteskiverne og kog dem med i ca. 20 min. ved svag varme.
3. Tilsæt basilikumbladene. Smag til med salt og friskkværnet peber.

GRISSINI

(6 portioner)
550 g mel, 20 gær, 1/2 tsk salt, 1/2 spsk sukker, 3 1/2 dl hånd-varmt vand, 30 g reven parmesanost, 2 spsk olivenolie, ekstra olie til pensling, 100 g majsmel.

1. Rør gær, vand og sukker sammen. Stil det lunt i 10-15 min.
2. Bland den revne parmesanost og saltet sammen med melet.
3. Kom olien i gærblandingen og rør den sammen med melet.
4. Ælt dejen godt sammen på en meldrysset bordplade. Ælt dejen, til den er glat og elastisk.
5. Rul dejen ud til en flad firkant og læg den på et stykke bagepapir. Pensl dejen med lidt olivenolie. Dæk dejen til og stil den et lunt sted, til den er hævet til dobbelt størrelse (ca. 40 min.).

6. Sæt ovnen på 225°C.
7. Læg bagepapir på to bageplader.
8. Skær dejen ud i 30 lige store strimler.
9. Drys majsmelet ud på bordet og rul hver dejstrimmel ud til en tynd pølse på 20-25 cm.
10. Fordel dejpølserne på bagepladerne.
11. Bag grissinierne i 15-20 min., til de er gyldne.
12. Afkøl grissinierne på en bagerist.
13. Servér evt. grissinibrødene med ostedip eller pesto (se side 38 og 79).

BRUSCHETTA MED HVIDLØG OG TOMAT

Bruschetta er ristede brødskiver oftest med olivenolie, hvidløg og salt som basisingredienser. Derudover kan der varieres med tomat, ost, parmaskinke, sardiner, krydderurter, oliven og andre italienske specialiteter f.eks. pesto og bagna cauda (se side 79).

BUFFET 3
Nat-buffet

- *Grissini*
- *Bruschetta med hvidløg og tomat*
- *Hvidløgsspaghetti*
- *Fyldte artiskokker*
- *Fiskelasagne*
- *Champignon bagt i marsala*
- *Toast med mozzarella*
- *Dybstegte store rejer*

Sauce: 60 g smør, 60 g mel, 1 stort løg, 1 grøn peberfrugt, 1 lille courgette, 1 1/2 dl hvidvin, 1 1/2 dl creme fraiche 18%, 125 g pillede rejer, 60 g reven parmesan.

Ekstra parmesanost, hele skalrejer og dildkviste til pynt.

1. Sæt ovnen på 190°C.
2. Kom krabbekødet, mælken, citronsaften, de hele peberkorn og den friskhakkede persille i en gryde. Smuldr mozzarellaost i blandingen. Drys med pillede rejer. Krydr med salt og friskkværnet peber. Lad blandingen koge op. Tilsæt evt. lidt vand. Læg låg på og lad fiskesaucen småsimre i 10 min.
3. Rengør og skyl peberfrugten. Skær den i strimler. Skyl courgettestykkerne og skær dem i skiver. Pil løget og finhak det.
4. Smelt smørret i en gryde. Tilsæt løgstykker, peberfrugtstrimler og courgetteskiver og kog blandingen i 3 min. Tilsæt melet. Rør rundt. Tilsæt vin, creme fraiche og rejer. Lad det småsimre i 2 min. Tag det af varmen og tilsæt parmesanosten.
5. Smør et ovnfast fad med olie. Kom 1/4 af grøntsags-rejesaucen i fadet. Læg (for-kogte) lasagneplader over, derefter lidt fiskesauce, så lasagneplader etc. Byg lasagnen op. Drys med rigelig reven parmesanost øverst.
6. Bag fiskelasagnen i ovnen i 25 min. indtil den er gylden og brun. Overfladen må gerne være "boblet". Pynt med skalrejer og dildkviste.

CHAMPIGNON BAGT I MARSALA

(Anretning til 6 små portioner)
600 g rengjorte champignoner, 60 g smør, 3 fed hvidløg, 2 dl marsala (kan erstattes af en tør sherry eller madeira), friskhakket persille, salt og friskkværnet peber.

Champignonerne kan erstattes af andre svampe.

1. Sæt ovnen på 190°C.
2. Smør et ovnfast fad med smørret.
3. Finsnit hvidløgsfeddene. Skær champignonerne i skiver. Læg champignonskiverne lagvis. Drys med de fintsnittede hvidløgsskiver.
4. Hæld marsalaen over champignonerne. Krydr med salt og friskkværnet peber.
5. Bag dem i ovnen i 25-30 min. til champignonerne er møre.
6. Servér dem varme eller kolde drysset med friskhakket persille.

TOAST
MED MOZZARELLA

(12 stk.)
12 stykker skiveskåren flute eller italiensk landbrød, 14 sardeller (ansjosfileter fra dåse), 480 g mozzarellaost i 12 skiver, 3/4 dl olivenolie, 1 spsk finthakket persille, friske persillekviste til pynt, friskkværnet peber.

1. Sæt ovnen på »grill«.
2. Læg brødskiverne på en bageplade. Rist begge sider af brødskiverne, til de er gyldne.
3. Bland olie, hakket persille og to af ansjosfileterne i en lille gryde. Varm blandingen forsigtigt op. Mos ansjosfileterne med en gaffel.
4. Dryp olieblandingen over de ristede stykker brød. Læg en skive mozzarellaost over hvert stykke. Krydr med friskkværnet peber.
5. Pynt de 12 brødstykker med de 12 ansjosfileter. Sæt dem under grillen i 2-3 min., indtil osten er varm og boblende.
6. Servér brød- og ostestykkerne pyntet med persillekviste.

DYBSTEGTE
STORE REJER

(6 portioner)
560 g store kinarejer, 3 fed knust hvidløg, 1 lille frisk chilifrugt uden kerner skåret i strimler, 6 spsk olivenolie, 3 spsk friskhakket persille, 3 spsk tør vermouth, citronskiver til pynt, salt og friskkværnet peber.

1. Pil rejerne.
2. Opvarm olien i en gryde. Tilsæt hvidløg, chilistykker og rejer. Svits hurtigt blandingen i 2-3 min. Rejerne skal blive klart lyserøde.
3. Rør persillen og vermouthen i. Krydr med salt og friskkværnet peber.
4. Servér rejerne anrettet med citronbåde og evt. lidt af den stærke sauce ved siden af i en skål.

PASTASALAT MED TOMAT, ÆG OG VALNØDDER

(1 portion)
80 g fusilli (pastaskruer), 1 æg, 1 tomat, 2-3 blade salat,
1/2 rødløg, 3 radiser, 8 sorte eller grønne oliven, 1 spsk hakkede
valnøddekerner, frisk dild.

Dressing: 2 spsk olivenolie, 1 spsk (rødvins)eddike, 1 tsk grov
sennep, 1 knsp sukker, salt og friskkværnet peber.

1. Kom ægget i kogende vand. Kog det, til det er hårdkogt (ca. 10 min.).
2. Kom pastaen med lidt salt i kogende vand. Kog til pastaen er al dente (se side 12). Kom pastaen i et dørslag, så vandet løber fra.
3. Rør dressingen sammen. Smag til med salt og friskkværnet peber.
4. Pil ægget og skær det i kvarte. Skyl tomaten og skær den i både. Pil det halve løg og skær det i skiver. Rengør radiserne og skær dem i skiver. Skyl salatbladene, lad dem dryppe af og riv salatbladene i stykker.
5. Bland den afdryppede pasta med oliven, radiseskiver, tomat- og æggebåde, løgringe, salatstykker, valnøddekerner og dressingen.
6. Drys med friskklippet dild til sidst.

VERMICELLITÆRTE

125 g fin vermicelli (trådspaghetti), 6 skiver bacon, 2 små por-
rer, porreblade til pynt, 1 tomat, 60 g reven mozzarellaost,
1 æg, 30 g smør (1 spsk), 1 1/2 dl yoghurt naturel, 1 1/2 dl flø-
de 13%, salt og friskkværnet peber.

Springform med en diameter på 22 cm.
Lav en hel tærte. Skær den evt. i mindre stykker, portioner og
frys dem ned. Tærtestykkerne kan også fordeles i familiens
madpakker, eller tages med og uddeles som smagsprøver i fro-
kostpausen.

Tærten kan serveres varm eller kold.
Tærten kan laves med spaghetti i stedet for vermicelli.

1. Sæt ovnen på 195°C.
2. Kom pastaen med lidt salt i kogende vand og kog den, til den er al dente (se side 12). Kom pastaen i et dørslag, så vandet løber fra.
3. Rengør porrerne og skær dem i skiver. Skær porretoppene i strimler. Skyl tomaten og skær den i skiver. Skær baconskiverne i mindre stykker.
4. Smelt smørret på en stegepande. Kom porreskiver og baconstykker i panden. Steg forsigtigt, til porrestykkerne er møre. Rør den revne ost i blandingen.
5. Smør springformen. Pres den afdryppede pasta ud i bunden og langs siderne af springformen.
6. Læg bacon- og porreblandingen ud over tærtens bund.
7. Pisk yoghurt, fløde, æg, salt og friskkværnet peber sammen i en skål. Hæld blandingen over baconen og porrerne. Læg tomatskiverne ovenpå. Drys med fintsnittet porretop.
8. Sæt tærten i ovnen, til den er hævet og gyldenbrun (ca. 30 min.).
9. Fjern springformens ring og servér tærten varm eller kold.

Pasta til frokost eller pastasalat medbragt i en lille, tæt madbox i stedet for madpakken kan give meget gode oplevelser. Pastasalater kan blandes aftenen i forvejen, stå parat i køleskabet og transporteres nemt i en box.
Pastasalater er sunde, mættende og fyldt med smagsoplevelser, og de er hurtige at fremstille.

SKINKE-PASTASALAT

(1 portion)
100 g farfalle (pastasommerfugle), 80 g kogt skinkekød, 2-3 salatblade, olivenolie.

Sauce: 2 ansjosfileter i olie (fra dåse), 1/2 løg, 1 fed knust hvidløg, 2 spsk (hvidvins)eddike, 1 tsk dijonsennep, 2 spsk brødkrummer af hvidt brød, 2 spsk olivenolie, 2 spsk friskhakket persille, kviste af frisk basilikum, friskkværnet sort peber.

1. Blend eller hak ingredienserne til saucen grundigt med undtagelse af olivenolien. Arbejd med saucen, til den bliver en jævn masse. Tilsæt til sidst olivenolie.
2. Kom pastaen med lidt salt i kogende vand og kog pastaen, til den er al dente (se side 12). Kom pastaen i et dørslag, så vandet løber fra.

3. Skær skinkekødet i strimler. Bland det med den afdryppede pasta og lidt olivenolie.
4. Anret pasta-skinkesalaten sammen med salatbladene på en tallerken. Drys med basilikumblade og friskkværnet peber. Servér den grønne sauce til.

HAVSALAT

(1 portion)
100 g conchiglie (pasta-muslingeskaller), 80 g kogt krabbekød eller kogte hummerhaler, 50 g pillede (kogte) rejer, 1/2 løg, 1 stilk bladselleri, 1 gulerod, 1/2 dl tør hvidvin, 4 hele sorte peberkorn, 1/2 tsk reven citronskal, friske citronmelisseblade.

Dressing: saften af 1/2 citron, 1 spsk (hvidvins)eddike, 1 spsk olivenolie, 1 spsk friskhakket persille, salt og friskkværnet peber.

1. Kom pastaen og lidt salt i kogende vand. Kog pastaen, til den er al dente (se side 12). Kom pastaen i et dørslag, så vandet løber fra.
2. Pil løget og hak det. Skræl guleroden. Skær den i tynde stave. Skyl bladselleristilken og skær den i fine strimler.

3. Kom løg, gulerodsstave, bladsellersistrimler, reven citronskal, hvidvin, peberkorn og 1/2 dl vand i en pande. Bring det i kog. Tilsæt hummerhaler eller krabbekød og rejer. Skru ned for varmen. Damp grøntsags- og fiskekødsblandingen i få minutter.
4. Rør dressingen.
5. Bland den afdryppede pasta med fiskeblandingen. Hæld dressingen over. Vend forsigtigt pastasalaten.
6. Anret pastasalaten på en tallerken. Drys med friske citronmelisseblade. Krydr med friskkværnet peber.

PASTA TRICOLORE

(1 portion)
100 g penne (pastarør), 1 avocado, 1 bøftomat, 50 g mozzarella-ost, 2 spsk olivenolie, et par dråber balsamicoeddike, friske basilikumblade, friskkværnet peber og citronsaft.

1. Kom pastaen med lidt salt i kogende vand. Kog pastaen, til den er al dente (se side 12).

Kom den i et dørslag, så vandet løber fra. Rør olivenolie i den afdryppede pasta.

2. Lige inden anretningen af retten: Udsten og skræl avocadoen. Skær avocadokødet i tynde skiver. Kom citronsaft over. Skyl tomaten og skær den i skiver. Skær osten i skiver.

3. Anret pastaen med avocadoskiverne, tomatskiverne og mozzarellaen skåret i skiver. Dryp med balsamicoeddiken. Krydr med friskkværnet peber og drys med friske basilikumblade.

BLOMKÅL INSALATA

100 g fusilli (pastaskruer), 1 dl små blomkålsbuketter, 80 g kogt skinke, 1/2 rød peberfrugt, 1 gulerod, 8 grønne oliven, 1 spsk kapers, 1 spsk olivenolie, 1 spsk (hvidvins)eddike, salt og friskkværnet peber.

1. Kom pastaen med lidt salt i kogende vand og kog den, til den er al dente (se side 12). Kom pastaen i et dørslag, så vandet løber fra.

2. Kom de små blomkålsbuketter i letsaltet, kogende vand. Kog dem 4-5 min., så de stadig er sprøde. Hæld vandet fra. Skyl dem under koldt, rindende vand. Lad dem dryppe af.

3. Skær med en kartoffelskræller lange, tynde spåner af guleroden. Læg spånerne i en skål med iskoldt vand i 10 min. (så krøller de sig sammen og bliver sprøde). Lad dem bagefter dryppe godt af.

4. Rens peberfrugtstykket for kerner. Skyl det og skær det i strimler.

5. Skær skinkekødet i strimler.

6. Rør eddiken og olien sammen. Vend pastaen, skinkekødsstrimlerne, blomkålsbuketterne, gulerodsspånerne, peberfrugtstrimlerne, de 8 oliven og kapers i blandingen.

7. Servér salaten krydret med friskkværnet peber.

Mange af bogens andre pastasalater egner sig også til at tage med som frokostanretninger. Til pastasalaterne kan man spise brød til. Se siderne 56, 57, 64, 66 og 71.

KØDBOLLE-SPAGHETTI

(1 portion)
80 g spaghetti, 80 g hakket oksekød, 1 skive hvidt brød uden skorpe, 1/2 løg, 1 fed knust hvidløg (kan undlades), 3 spsk tomatpuré, 1 spsk friskhakket persille, 1 spsk olivenolie, reven parmesanost, salt og friskkværnet peber.

Kan serveres med tomatketchup til.

1. Opblød brødskiven i lidt vand. Pres vandet ud af den.
2. Pil det halve løg og hak det.
3. Kom brødskiven, oksekødet, løgstykkerne, hvidløgsfeddet og persillen i en skål. Krydr med salt og friskkværnet peber. Rør farsen godt.
4. Form små boller af farsen.
5. Varm olien på en pande. Steg kødbollerne i olien til de er brune på alle sider (ca. 10 min.). Kom tomatpureen ved.
6. Kom spaghettien med lidt salt i kogende vand. Kog den, til den er al dente (se side 12). Kom spaghettien i et dørslag, så vandet løber fra. Lad spaghettien dryppe godt af.
7. Server spaghettien med kødbollerne over og med reven parmesanost, tomatsauce (se side 79) eller ketchup til.

PASTAGRATIN

(1 portion)
100 g penne (pastarør), 1 gulerod, 1/2 porre, 1 lille stykke courgette, 2 flåede tomater, 50 g reven mozzarellaost, 3 spsk olivenolie, timian fra kvist, smør, salt og friskkværnet peber.

1. Sæt ovnen på 220°C.
2. Skyl courgettestykket og skær det i tynde skiver. Drys dem med salt og lad dem trække.
3. Kom pastaen med lidt salt i kogende vand. Kog den, til den er al dente (se side 12). Kom pastaen i et dørslag, så vandet løber fra.

PASTASALAT MED BROCCOLI, BACON OG ÆRTER

(1 portion)
100 g farfalle (pastasommerfugle), 1 dl små broccolibuketter, 6 tynde skiver bacon, 1/2 dl ærter, 1 spsk olivenolie, 1 knsp cayennepeber, salt.

1. Kom pastaen med lidt salt i kogende vand. Kog pastaen, til den er al dente (se side 12). Kom pastaen i et dørslag, så vandet løber fra.
2. Kom broccolibuketterne i letsaltet vand. (Tynde skiver af stykker af broccolistokke kan koges med til retten). Kog broccolien

4. Skyl og snit porrestykket. Skræl guleroden. Hak den fint sammen med porrestykkerne. Grovhak de flåede tomater.
5. Svits grøntsagsstykkerne i olie på panden. Drys med finthakket timian. Tilsæt de hakkede, flåede tomater. Krydr med salt og friskkværnet peber.
6. Skyl courgetteskiverne, dup dem og steg dem med på panden.
7. Smør et lille fad. Kom halvdelen af pastaen i, derefter ost, så tomatsaucen, igen et lag pasta og til sidst ost.
8. Sæt fadet i ovnen, til gratinen er færdig (ca. 25 min.).

over jævn varme og under låg i ca. 12 min.
Kom broccolibuketterne i et dørslag til
afdrypning. Gem kogevandet.
3. Skær baconen i mindre stykker.
4. Varm olivenolien på en pande. Tilsæt bacon.
Tilsæt broccolibuketterne. Tilsæt ærterne.
Tilsæt lidt af kogevandet fra broccolien.
Smag til med cayennepeber og salt.
5. Anret den afdryppede pasta på en tallerken.
Hæld broccoli- og baconsaucen over.

PASTA MED APPELSIN, NØDDER OG REVEN GULEROD

*100 g fusilli (pastaskruer), 1 appelsin, 1 gulerod, 2 spsk hakke-
de valnøddekerner, 1 håndfuld rosiner, citronsaft, 1/2 dl
yoghurt naturel, 1 spsk mayonnaise, salt og friskkværnet peber.*

1. Kom pastaen med lidt salt i kogende vand.
Kog den, til den er al dente (se side 12). Kom
pastaen i et dørslag, så vandet løber fra.
2. Skræl guleroden. Riv den. Kom rigeligt med
citronsaft over. Tilsæt rosinerne og de hakke-
de valnøddekerner. Rør i blandingen.
3. Pil appelsinen. Skær den i skiver på tværs.
Del skiverne i halve.
4. Rør yoghurten sammen med mayonnaisen.
Smag til med salt og friskkværnet peber.
5. Vend den afdryppede pasta i dressingen.

6. Anret pastaen på en tallerken med gulerods-
blandingen og de halve skiver appelsin.

*En »ren« portion pasta med smørsauce til kan være et dejligt
måltid. Måske med nogle cocktailpølser til, måske med
tomatketchup til. Det vigtigste er at få muligheden for selv
at prøve sig frem, hvis man ikke har den voksnes smagsløg.*

PESTO

(1 portion)
1 dl friske basilikumblade, 1-2 fed hvidløg, 2 spsk pinjekerner,
6 spsk reven parmesanost og ca. 1 dl olivenolie.

Pesto kan stødes i en morter, men det er nemmere og hurtigere
at bruge en blender.

BLENDER:
1. Blend basilikumblade, hvidløg og pinjekerner.
2. Tilsæt den revne parmesanost og blend, til blandingen bliver en jævn masse.
3. Hæld olivenolien i lidt efter lidt og blend, til pestoen er tyktflydende.

MORTER:
1. Hak hvidløgsfeddene og basilikumbladene og stød dem sammen med pinjekernerne i en morter.
2. Tilsæt nogle dråber olivenolie og stød blandingen sammen.
3. Rør olien i lidt efter lidt, til pestoen bliver en cremet masse.

Pesto kan røres i friskkogt pasta eller anvendes som ingrediens i andre saucer, dressinger, dips, fiskeretter eller pizzaer.

HVIDLØGSSAUCE
Bagna cauda

(Saucen har en kraftig smag, så den rækker til flere portioner)
3 fed knust hvidløg, 50 g ansjosfileter, 1 dl mælk, 1 dl piskefløde
og 50 g smør.

Anvendes som varm eller kold dip til grøntsager og brødstykker.
Kan også anvendes til pasta.

1. Kom hvidløg, ansjosfileter, mælk og fløde i en lille gryde og kog blandingen i ca. 20 min. ved svag varme.
2. Mos blandingen gennem en sigte. Kom blandingen tilbage i gryden og rør smørret i.

Når hvidløgssaucen serveres varm, kan den holdes varm som en fondue over et fyrfadslys eller over en spritflamme.
Servér evt. saucen med lidt hakket persille.

TOMATSAUCE
Salsa di Pomodori

(1 portion)(Til 4 portioner anvendes 500-800 g tomater)
200 g godt modne tomater, 1 spsk olivenolie, 1 lille finthakket
løg, 1 fed knust hvidløg, 1 spsk tomatpuré, 1 knsp sukker,
1 spsk friske basilikumblade eller 1 tsk tørret basilikum, salt og
peber.

1. Læg tomaterne i en skål og dæk dem med kogende vand. Hæld vandet fra efter ca. 1 min. og flå skindet af.

2. Hak tomaterne groft.
3. Svits det hakkede løg i en gryde med oliven-
   olien.
4. Tilsæt knust hvidløg, tomater, tomatpuré,
   sukker, basilikum, salt og peber.
5. Kog tomatsaucen ca. 30 min. ved svag varme.

BECHAMELSAUCE

(1 portion)
*1 dl mælk, 15 g hvedemel, 15 g smør/margarine, 1 lille stykke
laurbærblad, salt og peber.*

1. Opvarm mælken et par min. ved svag varme
   sammen med laurbærbladet.
2. Smelt smørret i en anden gryde og rør melet
   i. Skru ned for varmen.
3. Pisk den varme mælk i lidt efter lidt. Rør
   hele tiden i saucen til den er helt jævn.
4. Lad saucen simre ved svag varme i ca. 10
   min. og smag til med salt og peber.

GORGONZOLASAUCE

Kan anvendes til varm eller kold pasta.

(1 portion)
*1/2 dl mælk, 1/2 fed knust hvidløg,1/2 tsk maizenamel, 2 spsk
pinjekerner, 80 g gorgonzola, 2-3 spsk gaio naturel.*

1. Kog hvidløget i mælken nogle minutter, til
   ca. halvdelen af væsken er fordampet. Rør
   maizenamelet i.
2. Skær osten i mindre stykker og varm den
   forsigtigt op, til den er smeltet.
3. Rør pinjekernerne i og tag gryden fra var-
   men.
4. Rør gaioen i den noget afkølede ostemasse.

REJESAUCE

(1 portion)
*Ca. 150 g skalrejer, 1 spsk olivenolie, 1 fed knust hvidløg,
1 spsk finthakket løg, 1/2 dl tør hvidvin, salt, peber og hakket
persille.*

1. Svits hakket løg i olien.
2. Kom hvidløg og hvidvin i olien og giv blan-
   dingen et opkog.
3. Tilsæt rejerne og kog dem i ca. 4 min.
4. Tag rejerne op og si stegesaften gennem en
   sigte.
5. Kog saucen lidt mere og smag til med salt og
   peber. Giv saucen et drys hakket persille.
6. Arrangér rejerne med pastaen evt. sammen
   med andre skaldyr.
7. Hæld varm sauce over pastaen.

BACONSAUCE
Carbonara sauce

Baconsauce kan anvendes som den er – varm eller kold.

(1 portion)
10 g smør, 2 skiver røget bacon, 1 æg, 15 g reven parmesanost, 2 tsk fløde, peber og 2 tsk friskhakket purløg.

1. Skær baconskiverne ud i tynde, korte strimler.
2. Steg baconstrimlerne i smørret.
3. Pisk æg, parmesanost og fløde sammen.
4. Rør æg/osteblandingen i baconen ved svag varme.
5. Rør purløg i saucen, inden den hældes over varm pasta.

OSTESAUCE

Kan anvendes til varme pastaretter og til kolde pastasalater. Ostesaucen kan blandes med f.eks. gaio naturel, så den bliver lettere og evt. smages til med krydderurter.

(1 portion)
1 tsk smør, 30 g flødeost, 30 g creme fraiche 38%, 25 g grofthakkede valnøddekerner, 10 g reven parmesanost, salt og peber.

1. Smelt smørret i en gryde.
2. Rør flødeosten og creme fraichen i lidt efter lidt ved svag varme, til ostemassen er jævn. Tilsæt evt. lidt mælk, hvis ostemassen er for sej.

3. Rør parmesanosten og valnøddekernerne i og tag gryden fra varmen.

HVIDLØGSPERSILLE

Anvendes som tilbehør til at drysse over kød og pastaretter, f.eks. tomatsauce.

(1 portion)
1 bundt hakket persille, 2 fed finthakket hvidløg, saften af 1/2 citron og 1/2 spsk olivenolie.

1. Vend citronsaften og olien i den hakkede persille og hvidløg.

Pesto.

HJEMMELAVET PASTA

Den vigtigste ingrediens i pasta er melet. Det er af den største vigtighed at bruge den rigtige form for mel. Det vil sige det italienske »semolina«-mel, der fremstilles af durum-hvede. Durum-hveden har en gylden farve og er en »hård« hvede. Den er dyrere end almindeligt hvedemel.

Almindeligt mel er uegnet. Pastaen bliver klistret, får en forkert konsistens, og kogevandet bliver uklart af stivelse.

Frisktilberedt pasta skal helst spises samme dag.

Industrielt fremstillet »frisk pasta«, der er specialpakket, kan holde sig betydeligt længere. Kvaliteten af disse varierer efter, hvilke råvarer og metoder, der er anvendt under fremstillingen.

PASTADEJ:

(1 portion)
90 g semolina-mel (durum-hvede)
1 lille æg
1 knsp salt
(evt.) 1 tsk olie

Hvis man vil udrulle pastadejen ved håndkraft, skal man bruge en lang kagerulle og en stor, ren bordplade.

1. Læg melet i en bunke på bordet. Lav en fordybning i melbunken, drys med et knsp salt, slå ægget ud og kom ægget i fordybningen.
2. Ælt pastadejen sammen ved at arbejde æggemassen ind i melet udefra og indefter. Tilsæt (evt.) lidt olie. Dejen skal blive smidig.
3. Lad dejen hvile i ca. 1 time drysset med mel under en omvendt skål.
4. Dejen udrulles: Drys bordplade og hænder med mel. Pres dejen flad med hænderne. Rul den ud med kagerullen. Begynd midt på dejen og rul udad med faste tag.
5. Lad pastaen hænge ud over bordkanten, efterhånden som pastapladen bliver større (så den bliver trukket ud).
6. Pastadejen er færdig, når den er jævn, tyndt udrullet og har en »ruskindsagtig« karakter.

Skal pastadejen bruges til lasagne eller fyldt pasta (ravioli, tortellini), skal pastadejen anvendes straks. Ellers skal den bredes ud på et viskestykke og lægges til tørre i 30 minutter. Vend den efter de første 15 minutter. Lad pastadejen tørre længe nok til, at den ikke klæber, men ikke så længe, at den bliver tør og sprød. Derefter kan pastaen skæres ud efter de klassiske italienske forme eller efter egne ideer.

FARVET PASTA

Farvet pasta tilberedes på samme måde som almindelig pasta. Blot skal der bruges MINDRE af grundingredienserne mel og æg, idet der tilsættes andre ingredienser. Disse ingrediensers formål er at farve pastaen og give den en anden smag (se side 21).

RICCADONNA VERMOUTH
Den berømte italienske aperitif.
Den søde fyldige Rosso, den delikate og milde
Bianco eller den tørre Extra Dry.

CHIANTI CLASSICO GRANDUCATO
Let og frugtrig rødvin, der passer til retter
af pasta og fjerkræ.

VALLE d'ORO MONTEPULCIANO d'ABRUZZO
Robust og tør vin. Den rigtige ledsager til pasta
med oksekødssauce.

LAMBRUSCO ROSÉ MEDICI
Tør og frisk vin. Perfekt som velkomstdrink.

COLLE PAPA FRASCATI
Tør og blød hvidvin. Serveres afkølet til fisk og
skaldyr med f.eks pasta.

MARTINI DRY
Drikkes solo med isterninger – eller allerbedst
med gin eller vodka.